D

ONE PIECE

エースの死を越えて!
ルフィ仲間との誓い

2

Y

PROFILE
登場人物

ボア・ハンコック

[九蛇《クジャ》海賊団] 船長。
アマゾン・リリー皇帝。
『メロメロの実』の能力者。

モンキー・D・ルフィ

[ルフィ海賊団] 船長。
海賊王《かいぞくおう》を目指す少年。
『ゴムゴムの実』の能力者。

シルバーズ・レイリー

[元ロジャー海賊団] 副船長。
“海賊王の右腕”と呼ばれた
覇気《はき》の使い手。

OUTLINE
あらすじ

“偉大なる航路《グランドライン》”突入！

ブルックを仲間に加え、魚人島《ぎょじんとう》を目指す！そのためには、サウザンドサニー号にコーティングを施さなければならなかった。

シャボンディ諸島

出会ったコーティング職人は、元ロジャー海賊団のレイリーだった！準備を始めた一行は**3日後**に集合の約束をするも、七武海《しちぶかい》くま、海軍大将黄《き》猿《ザル》があらわれ大ピンチ！くまの能力により、皆別々の場所に飛ばされてしまう。

女《にょう》ヶ《が》島《しま》“アマゾン・リリー”

男子禁制の女ヶ島へ飛ばされたルフィは七武海のハンコックと出会う。そこへとんでもないニュースが舞いこんだ。

海底監獄インペルダウン

エースが処刑…!?

バーンディ・ワールド
[ワールド海賊団] 船長。
『モアモアの実』の能力者。
バーンディ・ビョージャック
[ワールド海賊団] 副船長。
ワールドの兄。
『キュブキュブの実』の能力者。
ガイラム
ナイチン
“漢方拳法《かんぽうけんぽう》”の使い手。船医。
セバスチャン
海での戦いを得意とする巨魚人《ウォータン》。

ルフィは、バギーやMr.3、Mr.2ボン・クレーと再会、革命軍イワンコフの力を借り、最下層《レベル6》に到達！　しかしエースは海軍本部へと護送された後だった！　収監中のクロコダイルとジンベエを解放したルフィは、ともに海底監獄を脱出する。

マリンフォード
頂上戦争勃発

エース奪還の為、白ひげ海賊団大艦隊が到着。対するは、海軍本部と七武海の連合軍！　激しい戦いの中、ついにエースを救出したかに思われたが、赤犬《あかイヌ》の攻撃からルフィを守ってエースは倒れてしまう…。そして戦争が終わった。

ルスカイナ島

失意に沈むルフィだったが、まだ〝仲間〟が残っている。ふたたび冒険に挑むため、仲間に**メッセージ**を送ったルフィは、レイリーとともに2年間の修業に入ったのだった。

CONTENTS
もくじ

ONE PIECE “3D2Y„
エースの死を越えて！ルフィ仲間との誓い

原作：尾田栄一郎（集英社　週刊『少年ジャンプ』連載）
脚本：上坂浩彦　中山智博　田中仁
監督：伊藤尚往
キャラクターデザイン・総作画監督：渡辺巧大

――生きてみりゃ、わかる。

プロローグ

PROLOGUE

海は凍《コゴ》える。


マリンフォード海軍本部。

三日月《みかづき》形をした島の湾内は、厚い氷で埋めつくされた。そのとき海は〝血も凍《こお》る〟戦場と化した。

大艦隊《だいかんたい》をもって攻めるのは〈新世界《しんせかい》〉の海賊たち。

要塞《ようさい》を盾に、守るのは、世界中から集められた海軍の精兵十万だ。


ドウッ！


着弾——爆心にいた海兵が数人、吹き飛ばされた。

衝撃でめくれあがった氷の陰《かげ》に身を滑《すべ》りこませると、後続の海兵部隊が小銃をかまえた。

一斉射撃《いっせいしゃげき》が海賊たちを薙《な》ぎ倒《たお》す。その海兵たちが、つぎには反撃を受けてもんどり打った。

大乱戦。

銃弾と、砲弾の密度が増していく。

湾内の軍艦を狙《ねら》った海賊の攻撃を、モモンガやオニグモ――中将たちが迎撃する。彼らは砲弾を斬りおとし、それぞれの技と能力で船への直撃を防いだ。海軍の将官は、いずれもが百人力、千人力の強者《つわもの》ばかりだ。

そして、
数十年にわたって世界の海に君臨、生ける伝説と呼ばれた〝大海賊〟――〈白《しろ》ひげ〉こと四皇《よんこう》エドワード・ニューゲートは、母艦《ぼかん》〈モビー・ディック号〉にあり、戦場のまっただなかにいた。

彼が、この戦争の主役だ。

齢《よわい》七十二を数えてなお、あやうい大海賊時代のパワーバランスの要《かなめ》を担《にな》いつづけてきた男だ。

〈白ひげ海賊団〉の目的は、ひとりの男の処刑をとめること。

彼らの兄弟《なかま》――二番隊隊長ポートガス・Ｄ・エースの救出だった。

これに対して海軍本部は、元帥《げんすい》センゴク以下の三大将をそろえて、総戦力でもって〈白ひげ〉を迎え撃つ。

海賊王ゴール・D・ロジャーの死と、大海賊時代のはじまりから二十二年。
人の歴史に楔《くさび》を打ち、これも、伝説となる戦い。

さらに——

「エース！　助けに来たぞ！」

この戦争には、司法の島エニエス・ロビーを陥《お》として名をあげた、懸賞金三億ベリーのルーキー海賊がくわわっていた。

〈麦わらの一味〉のモンキー・D・ルフィは、マリンフォードでの決戦に先立ち、義兄《あに》と慕《した》うエースをとりかえすために、〈海賊女帝《じょてい》〉ボア・ハンコックの協力を得て、難攻不落の海底監獄《かんごく》インペルダウンに侵入《しんにゅう》した。

収監《しゅうかん》されていたエース救出こそならなかっ

たが、革命軍の幹部イワンコフや元・王下《おうか》七武《しちぶ》海《かい》のクロコダイル、〈海俠《かいきょう》〉ジンベエら札つきの囚人たちをひきつれて脱獄《だつごく》に成功。処刑が執行されるマリンフォードに殴りこみをかけたのだ。

　エースの処刑台は、湾の正面、広場に。

ルフィは、まっすぐに戦場を走って兄のもとにむかった。

「包囲《ほうい》壁《へき》を作動させろ！」

海賊たちの攻勢を前に、元帥センゴクが命じた。

この戦いは海軍本部――世界政府が、エースを餌《エサ》に海賊をつぶすための罠《わな》だった。

湾の周囲に、高さ数十メートルの金属の壁がせりあがった。

ルフィや〈白ひげ〉以下の海賊たちは、袋のネズミになってしまった。

――〝流星火山《りゅうせいかざん》〟！

包囲壁ごしに、焼けついた岩石の塊《かたまり》――火山弾が、湾内に撃ちこまれた。

大将〈赤犬《あかイヌ》〉ことサカズキは『マグマグの実』の能力者だ。体をマグマと化してあやつることができる。

逃げ場を失った海賊たちめがけて、一千度の火山弾が降《ふ》りかかった。

炎に砕《くだ》かれて、〈モビー・ディック号〉が轟沈《ごうちん》する。

凍った海面が溶けていく。海賊たちは、つぎつぎと海に落とされていった。


海は震《フル》える。


〈白ひげ〉は、世界を滅ぼすと畏《おそ》れられた能力を放つ。

『グラグラの実』の地震人間がくりだした震動波が、包囲壁を激しく凹《へこ》ませた。

だが、壁は崩れない。

ただの鉄の壁ではなかった。マリンフォード要塞は、怪物〈白ひげ〉のチカラをおさえこむために作られた罠だった。

「これより、すみやかにポートガス・D・エースの処刑を執行する！」

センゴク元帥が、処刑台の海兵をうながした。

悪魔の実の能力を封《ふう》じる海楼石《かいろうせき》の枷《かせ》をはめられたエースの首に、刀があてられた。

ここでルフィが突破口を切りひらこうとした。〈白ひげ〉傘下《さんか》で、魔人《まじん》の末裔《まつえい》リトルオーズＪｒ．の超巨体を乗り越えて、広場に突入しようとする。

だが、それは海軍にとっては恰好《かっこう》の標的だった。

要塞からの集中砲火を浴びたルフィは、湾内にはじきだされてしまった。

「麦わらボーイ！」

「まったく、ムチャを！」

イワンコフとジンベエが、ルフィに駆けよる。

息をはずませながら、ルフィは処刑台への道を阻《はば》む包囲壁をにらんだ。

「ハァ……たのみがある！」


バシュッ！


魚人《ぎょじん》柔術　〝水心《みずごころ》海流一本背負い〟——ジンベエザメの魚人であるジンベエは、海水を自在にあやつって、包囲壁よりも高い水柱を立ちのぼらせた。

水柱の頂上では、折れた帆柱《マスト》につかまったルフィが波乗りをしていた。

「エースは、かえしてもらうぞ！」

広場、処刑台の前で守りを固めていたのは、海賊にとって最悪の敵——三大将だった。

「おまえにゃ、まだ、このステージは早すぎるよ」

〈青雉《あおキジ》〉クザンは、ルフィが投げつけた帆柱《マスト》を、たちまち凍らせた。彼は『ヒエヒエの実』を食べた氷の能力者だ。

「〝ゴムゴムのスタンプ乱打《ガトリング》〟！」

海軍の最高戦力・三大将にむかって、ルフィは踏《ふ》みつけ蹴《げ》りを連打する。

凍った帆柱《マスト》が、はじけ散る。

三大将たちは、たじろぎもせずに破片《はへん》を受け流した。

「〝ギア・セカンド〟」

ふくらはぎをゴムポンプに変化させると、ルフィは体内の血流を加速——身体能力を段違いにアップした。

ダッシュ！

一足跳《と》びに広場を駆け抜けたルフィだったが、つぎの瞬間、目の前には、おきざりにしたはずの敵がいた。

大将〈黄猿《きザル》〉ことボルサリーノは『ピカピカの実』の能力者だ。破壊光線《レーザー》をあやつり、その身を光と化す——

「⁉」

「ん〜、遅いねェ〜」

光速の蹴りがルフィを吹き飛ばした。

ザパァァァン！


ふいに、湾内の水がせりあがった。

波しぶきをあげて海底からあらわれたのは、あらたなコーティング船だった。

「うちの船が、出そろったといった覚えはねェぞ」

〈白ひげ〉は船に乗りこむと、船につかまるよう部下たちに指示した。

「撃ち沈めろ！」

全要塞砲がコーティング船を狙った。

しかし〈白ひげ海賊団〉の船は攻撃をものともせずに進んだ。

「——ちがう！　船じゃない！　オーズを撃て！」

砲撃指揮官《しきかん》の命令は、一足遅かった。

すでに瀕死《ひんし》の重傷だったリトルオーズJｒ．だったが、最後の死力をふりしぼってコーティング船をつかむと、海岸の広場にひきあげた。

「〈白ひげ〉が……広場に降りたァ～～～！」

海軍は騒然となった。

長刀《ナギナタ》をかまえた〈白ひげ〉は、『グラグラの実』の能力を刃先にこめて、
ドゴォンッ！

広場にいた海兵数百を、ひと振りで薙ぎ払う。

処刑台までは、もう目と鼻の先だ。

「野郎《やろう》ども！　エースを救いだし、海軍を滅ぼせェ！」

——うォおおおおおおおっ！

生き残った海賊たちは、気勢《きせい》をあげて彼らの船長《オヤジ》に応《こた》えた。

これを見たセンゴク元帥とガープ中将は、もはや自分たちもタダではすまないと覚悟し、

コートの袖《そで》をまくった。

生と、死の密度が増していく。

〈白ひげ海賊団〉の十六番隊までの隊長たちが突貫する。〈不死鳥《ふしちょう》〉マルコ、〈ダイヤモンド〉ジョズ、〈花剣《かけん》〉のビスタ……。

最終防衛ラインで迎え撃つのは中将、三大将、そして王下七武海。

海賊たちの掃討《そうとう》には、投入された人間兵器パシフィスタが猛威《もうい》をふるった。

総力戦。

それが全局面の戦闘に至ったとき、被害は計《はか》りしれないものになるのだ。

すべての犠牲《ぎせい》は、あの処刑台の男を救うために。


「――ヴァナタ！　まっすぐ走りなさい！　……イナズマ！」

乱戦のなかで、ルフィと並んだイワンコフが同志をうながした。

「おやすい御用《ごよう》です、イワさん」

デカ頭のイワンコフの髪の毛に隠《かく》れていた革命軍幹部イナズマは『チョキチョキの実』の能力者だ。両腕をハサミに変えて、あらゆるものを紙のように切りとることができる。

イナズマは地面の石畳をテープ状に切りとると、めくりあげて坂道《スロープ》に加工し、数十メートル上にある処刑台までつなげた。

「カニちゃん！」

「ルフィ君、行け」

背後《はいご》をイナズマにまかせると、ルフィは宙《ちゅう》に架《か》けられた坂道をのぼった。

「来たぞ、エース！」

なかばまで駆けあがったところで、ルフィの行く手に土煙があがった。

立ちふさがったのは……ガープ中将！

「ルフィ！」

「じいちゃん！　そこ、どいてくれェ！」

ガープは、ルフィの実の祖父だ。

ルフィとエースは、ガープによって兄弟同然に育てられた。ガープは、ふたりを立派な海兵にするつもりだった。

「ここを通りたくば、わしを殺してでも通れ！　それが、い、い、い、おまえたちの選んだ道じゃァ！」

海軍旗《カモメ》ではなく、海賊旗《ドクロ》を掲《かか》げたときから。

「できねェよ！」

「できねばエースは死ぬだけだ！」

「……嫌だァ！」

「嫌なことなど、いくらでも起きる！　わしァあ、容赦《ようしゃ》せんぞ！」

生きているかぎり。

嫌なことは起きるのだ。さけられない戦いはあるのだ。たとえ家族同士が戦い、傷つくだけであっても。

ガープ中将は、愛する孫ではない、海賊〈麦わら〉を――

「ルフィ、おまえを敵とみなす！」

ドゴォン！

ルフィの拳《こぶし》は〈海軍の英雄〉を叩《たた》きのめした。

勝負を分けたのは、ガープ中将の心に生《しょう》じた一瞬のためらい。覇気《はき》のない拳……。

「貴様《きさま》も人の親だ、ガープ……！」

すべてを察したセンゴク元帥はつぶやいた。

祖父《ガープ》をしりぞけたルフィは、ついに処刑台に立った。

「エース！」

「ルフィ、おまえ……」

見つめあったルフィとエースだったが、異様な気配《けはい》を感じて、空をふり仰《あお》いだ。

巨大な人影《ひとかげ》が、ふたりを見おろしていた。


――待て……！


センゴク元帥だった。

彼は、動物系《ゾオン》幻獣種《げんじゅうしゅ》『ヒトヒトの実モデル〝大仏《ダイブツ》〟』の能力者だ。

「…………!?」

「わたしが逃がすと思うなァ！」

盟友《めいゆう》であるガープが情にほだされたというなら、自分がやらねばならない。

身《み》の丈《たけ》十数メートルの大仏と化した〈仏《ほとけ》のセンゴク〉は、仏罰《ぶつばち》の拳をふりあげた。

「うゥ……？　アレはなにカネ!?」

「3《さん》？　なんでここに!?」

起きあがった処刑人のひとりを見て、ルフィは驚いた。

それは海兵に変装したMr.《ミスター》・3《スリー》ことギャルディーノだった。以前ルフィと戦った彼もまた、インペルダウンの脱獄囚のひとりだった。

「わたしの手で処刑するのみ！」

センゴクの大仏拳がふりおろされる。

「おい3《さん》！　壁でエースを守れ！」

指示すると、ルフィは親指を噛《か》んで息を吹きこんだ。

「〝巨人の風船《ギガント・フーセン》〟！」

ルフィが巨大ゴム風船になって、センゴクの大仏拳を防ぐと同時に、

「〝キャンドル壁《ウオール》〟！」

蠟《ろう》の壁がドームを形作った。Mr．3は鋼鉄とおなじ強度の蠟をあやつる『ドルドルの実』の能力者だ。


バキバキバキッ！


大仏拳の衝撃で、処刑台が崩壊した。

「ぶへぇー！」

海軍元帥の本気の一撃をくらったルフィは、たまらず空気を吐《は》きだした。

それでも、蠟のドームのおかげでエースは無事だ。

落ちる。

——撃てェ！

——処刑台ごと吹き飛ばせ！

広場の海兵たちが、すべての砲口を崩れていく処刑台にむけた。

部下たちの意図を察したセンゴクは、跳びのいた。

海楼石の枷をはめられたエースは、悪魔の実の能力を封じられている。生身《なまみ》だ。ゴム人間の〈麦わら〉はともかく、砲撃をくらえばエースは死ぬ。


ドドドドドンッ！


処刑台は集中砲火を浴びた。

海軍も、海賊も。

みなが戦いを忘れて処刑台に目を奪われた。

赤い爆発が、黒い煙となってマリンフォードの空に立ちのぼり、広がっていく。

「〈火《ひ》拳《けん》〉は生身だ！　生きちゃいない！

…………⁉」


炎はカタチをなす。


赤い渦《うず》が噴《ふ》きだすと、あたりの煙を、すべて消し飛ばした。

「おまえは昔からそうさ、ルフィ！」

いいつけを聞かないで。ムチャばかり――

黒煙を払いのけて、あらわれたのは〈白ひげ海賊団〉二番隊隊長ポートガス・D・エース。


ルフィの義兄弟。海賊王ゴール・D・ロジャーの忘れ形見《がたみ》だ。

ゆえに彼は、大海賊時代の原因となった大罪人の子として、世界政府に処刑されようと

していた。

エースは〝火〟。

みずからを炎と化す自然系《ロギア》『メラメラの実』の能力者だ。Mr．3が作った蠟の合鍵《あいかぎ》で、海楼石の枷をはずし、そのチカラをとりもどした。

信じ、勝ちとるもの。

奇蹟《きせき》をかさねて、〈火拳〉のエースは、ついに〝正義の砦《とりで》〟の処刑台から解放された。

「エース……！」

ルフィは兄を、助け――

*

場面はとぎれる。

つぎにルフィの目の前にあらわれたのは、燃えたぎる拳だった。

〈赤犬〉のマグマの拳が、エースの体を、背後から内臓ごとえぐりとっていた。

なにが起きたのか、わからない。

エースの命の紙《ビブルカード》が、端《はし》から焦《こ》げていく。

ルフィは、倒れる兄を受けとめる。

一千度の拳で貫かれ、皮膚《ひふ》も肉も焼かれて、内臓はただれ、血液は沸騰《ふっとう》していた。

マグマは火を呑《の》みこんだ。

「ごめんなァ……ルフィ」

兄の声は遠ざかる。


いいや。

なにが起きたのか、ルフィは、わかっていた。

わかっていても、どうすることもできなかった。これは……だって、これは………。

「——エース！　急いで手当てを……」

「ちゃんと助けてもらえなくてよ。すまなかった……」

どんどん、遠ざかっていく。

駆けつけた船医が治療にあたろうとするが、エースは、それを断った。

「ムダだ！　自分の命の終わりくらい、わかる……だから、聞けよルフィ」


――ゴールド・ロジャーに、もし子供がいたらァ？

　――そりゃあ打ち首だ。

――世界中の人間の、ロジャーへのうらみの数だけ、針を刺すってのはどうだ。

　――火あぶりにしてよ、笑いものにするんだ。

　　――遺言《ゆいごん》は、こう、いい残してほしいねェ。

――生まれてきて、すみません、ゴミなのに。

大罪人である海賊王の隠し子だったエースは、人の悪意を浴びながら生きてきた。

――ぎゃははは……！

嗤《わら》い。嘲《あざけ》り。

目を閉じても、耳をふさいでも、ふり払うことはできない。

「エース……」

「おれが、これからいう言葉を……おまえ、あとでみんなにつたえてくれ。オヤジ……みんな……そしてルフィ」

今日まで、こんな。

どうしようもねェ、おれを。

鬼の血をひく、このおれを。


——**愛してくれて……ありがとう。**

血まみれの手でルフィを抱きながら、エースは、こときれた。

＊

「…………ッ!」

ルフィは目を覚ました。

荒く、息をつく。

炎。

野営のキャンプで火が焚《た》かれていた。あたりは深いジャングルだ。

「わるい夢でも見たか」

「…………」

そう、夢だ。

ここは戦場ではなかった。

肩で息をしながら、ルフィは起きあがって老人にむきなおった。

長い銀髪が、焚き火にゆれて淡《あわ》くきらめいていた。

「ひどい汗だ。これを」

銀髪の老人——レイリーがさしだしたカップを、ルフィは受けとり、水を飲んだ。

い、い、い、い、い、い、い、い、い、
なにが起きたのかは、わかっていた。

時計の針はもどせない。

わかってはいても、いまとなっては、どうすることもできなかった。

命の紙《ビブルカード》は燃えつきた。兄《エース》はマリンフォードで死んだ。

——おれたちは、絶対に、悔《く》いのないように生きるんだ。

兄は弟に告げた。

——うん！

——いつか、かならず海へ出て！　思いのままに生きよう！

兄と弟は誓《ちか》った。

——だれよりも自由に！

生きることを。

*

十年後、兄は処刑台に立った。弟の、目の前で……。

第一幕

頂上戦争その後

1

マリンフォード頂上戦争。

海賊王の遺児《いじ》ポートガス・D・エースの公開処刑をめぐる、世界政府と海賊〈白《しろ》ひげ〉こと四皇《よんこう》エドワード・ニューゲートの争《あらそ》い。

十万の海兵と四十七隻《せき》の海賊艦隊《かんたい》による大海賊時代最大の戦闘は、エースとニューゲートの死によって幕がひかれた。

ゴール・D・ロジャーが遺《のこ》し、〈白ひげ〉が守ってきたもの。

伝説。

ひとつの時代が終わり、また、あらたな時代――世代が〈ひとつなぎの大秘宝《ワンピース》〉をめぐって動きはじめていた。

〈赤い土の大陸《レッドライン》〉のむこう、〈新世界《しんせかい》〉へ。

だが、いまは、その幕間《まくあい》。

麦わら帽子をかぶった若き海賊にとって、あの戦いは、大切なものを守ることができなかった敗北の日だった。

ルフィは、義兄《あに》であり目標だったエースを助けようとして、逆に、命を救われた。

自分のせいでエースは死んだ。

——おれは、弱い！

どんな壁も越えられると思っていた。

だから、なんだって挑もうとした、あの自信。疑いもしなかった、おのれの強さ——可能性。

それら、すべてを打《う》ち砕《くだ》いた敵の数々……。

海をも凍《こお》らせる〈青雉《あおキジ》〉クザン。

光速の〈黄猿《きザル》〉ボルサリーノ。

火を呑《の》むマグマ、エースを手にかけた〈赤犬《あかイヌ》〉サカズキ。

彼ら三大将のだれひとり、ルフィが太刀《たち》打《う》ちできる相手ではなかった。

そして——

〈白ひげ海賊団〉を裏切り、エースを捕《と》らえた〈黒《くろ》ひげ〉ことマーシャル・D・ティーチという男。その功績から、世界政府公認の海賊・王下《おうか》七武《しちぶ》海《かい》の地位についたティーチは、にもかかわらず海軍を出し抜いた。

ティーチは海底監獄《かんごく》インペルダウンを襲撃。最悪《レベル6》の囚人《しゅうじん》たちを世に解《と》き放《はな》つと、エースの死の直後、頂上戦争に乱入。長年、船長《オヤジ》と呼んできたニューゲートにとどめをさした。

ティーチは伝説を殺した。

マリンフォードの勝者となったのは、政府でも海軍でもなく〈黒ひげ〉だった。

ティーチは高らかに〝自分の時代〟を宣言した。

海賊王の血、エースの命を踏《ふ》み台にして。

――愛してくれて……ありがとう。

兄の、最期《さいご》の言葉だ。

エースは二十年の命を燃やしつくした。

愛されて。

だが、ルフィは愛し足りてはいなかった。

エースに、いろんなものを、かえしきれていなかった。想《おも》いは行き場をなくしてグチャグチャになり、それは消えろと叫んでも消せず、目を閉じ、耳をふさごうと、ごまかすことはできなかった。

瀕死《ひんし》のルフィは、エースの友人だった〈海俠《かいきょう》〉のジンベエと〈白ひげ海賊団〉の残党たち、海賊トラファルガー・ローらの協力でマリンフォードから救出された。

なおもつづくかと思えた海軍と〈白ひげ海賊団〉、〈黒ひげ〉の一味との乱戦を終わらせたのは、四皇〈赤髪《あかがみ》〉ことシャンクスだったという。

ルフィに麦わら帽子を託《たく》した、あこがれの海賊。

だが、それらすべてのことは、ルフィにとって自分を苦しめるだけの出来事だった。心の重荷《おもに》でしかなかった。彼らに、あわせる顔がなかったのだ。

ルフィは〈海賊女帝《じょてい》〉ボア・ハンコックが治める女ヶ島《にょうがしま》にかくまわれた。

けれどもルフィは、兄を失ったことで自暴自棄《じぼうじき》になり、悔《くや》しさと、みじめさと、恥《は》ずかしさから、自分で自分の体と心を痛めつけつづけた。

——失ったものばかり数えるな！

ジンベエはルフィに問うた。

——ないものは、ない！　確認せい！　おまえに、まだ残っておるものは、なんじゃ！

思い浮かんだのは……。

ルフィ……ルフィ……ルフィ……。

剣士の、航海士の、狙撃手《そげきしゅ》の、料理人の、船医の、考古学者の、船大工の、そして音楽家の……かけがえのない、たのもしい船の仲間たちを思いだして、安心して、さびしくなって、ルフィは泣いた。

——仲間がいるよ……！

なにもかも、なくして。

それでも残ったもの。目を閉じても、耳をふさいでも、いなくならないもの。

〈冥王《めいおう》〉シルバーズ・レイリー——海賊王ゴール・D・ロジャーの副船長は、逢《あ》うべくして出会った失意の若者に、手をさしのべた。

——わたしから、ひとつ提案がある。

のるかそるかは、もちろん自分で決めろ、と。

＊

ルスカイナ島は女ヶ島のほど近く、凪の帯《カームベルト》にある無人島だ。四十八季といって、週に一回というめまぐるしさで春夏秋冬の季節が変化する。大昔には国があったが、人間は苛酷《かこく》な自然との生存競争にやぶれて滅んでしまったのだという。

「この島には、いまのキミでは討《う》ちとれないような生物が、ざっと……五百体以上。チカラをつけねば夜もオチオチ眠れんぞ」

ジャングルのまっただなかで、レイリーはあごひげをさすった。

「なんで……いるとか、いねェとか、数とかわかるんだ？」

ルフィはふしぎだった。

「キミも、このチカラを身につけるのだ……**覇気**《はき》というチカラを」

ベキベキベキッ！　ズゥンッ！

大木を倒してあらわれたのは、牙《きば》の生えた巨獣だった。

「象!?　すげー象だ！」

〈偉大なる航路《グランドライン》〉に巨大生物はたくさんいる。でも、そいつは、ただデカいだけではなかった。

強い。

そうだ……この島の獣《けもの》は、人間を滅ぼしたのだ。

「いいかルフィ君、覇気とは、すべての人間に潜在《せんざい》するチカラだ。気配《けはい》、気合、威圧……

それら人が、人から受ける感覚と基本的にちがいはない。ただし大半の人間は、そのチカラに気づかず……あるいは、ひきだそうにもひきだせず一生《いっしょう》を終える。疑わないこと……それが〝強さ〟だ。よく見ておけ、覇気は大きく二種類にわけられる」

巨象は、レイリーを獲物《えもの》とさだめて背後《はいご》から襲いかかった。

「あぶねェ！」

「だいじょうぶ……象は、鼻で、わたしの頭を右から狙《ねら》っている」

レイリーは、巨象がくりだした長い鼻の一撃を、身をかがめてかわした。

「え……」

ルフィは驚く。レイリーは巨象を見ることなく攻撃をかわした。

「相手の気配を、より強く感じるチカラ……これが〝見聞色《けんぶんしょく》〟の覇気！　これを高めれば、視界に入らない敵の位置、その数……さらには、つぎに相手がなにをしようとしているかを読みとれる」

その言葉に、ルフィは思いあたることがあった。かつて空島《そらじま》で戦った強敵《きょうてき》、『ゴロゴロの実』の能力者エネルは、相手の攻撃をことごとく先読みする恐るべき敵だった。

「——空島スカイピアでは、これを〝心綱《マントラ》〟と呼ぶな。つぎに〝武装色《ぶそうしょく》〟の覇気。これは見えない鎧《よろい》を着るようなイメージを持て」

巨象は、いらだってレイリーを踏みつぶそうとした。

数十トンの巨体を支える太い足が、レイリーが無造作《むぞうさ》に突きあげた腕一本で、はじきかえされた。

「より固い鎧は、攻撃力にも転じる」

「うっ！」

レイリーはルフィにデコピンを見舞った。ルフィは面食《めんく》らって額《ひたい》を押さえた。

「――痛《いて》ェ……！　おれ、ゴム人間なのに打撃が痛ェ？」

「〝武装色〟の有効な点は、ここだ」

悪魔の実の能力者と戦うときは、相手の弱点をつかなくてはならない。

たとえば『スナスナの実』の能力者クロコダイルにダメージをあたえるには、水で、砂の体を固めなくてはならなかった。エネルの『ゴロゴロの実』の電撃は、電気を通さないゴム人間のルフィが天敵だった。

そうした弱点をつくことをのぞいては、〝武装色〟の覇気が唯一《ゆいいつ》の対抗手段なのだ。

「おっさんが〈黄猿〉にさわれたのは、これか……」

ルフィは、レイリーと『ピカピカの実』の能力者との戦いを思いだした。

その身を光と化す〈黄猿〉に対して、レイリーは剣ひとつで互角《ごかく》にわたりあっていた。

無敵と思えた自然系《ロギア》の能力者と戦うとき、〝武装色〟の覇気をまとえば、相手を実体としてとらえられるのだ。

「このチカラは、剣や矢など武器にまとわせることもできる。〝見聞色〟〝武装色〟……この二種類が覇気だ。しかし、ごくまれに」

起きあがった巨象が、怒りに満ちた様子《ようす》でレイリーをにらみつけた。

「──こんな覇気をあつかえる者がいる」


ドクンッ!


巨象が、ドウッと横倒《よこだお》しになった。

ルフィはあっけにとられた。巨象は、いきなり白目《しろめ》をむいて気絶してしまったのだ。

「これが相手を威圧するチカラ……〝覇王色《はおうしょく》〟の覇気!」

「………!」

「この世で大きく名をあげるような人物は、およそ、このチカラを秘《ひ》めていることが多い。ただし、この〝覇王色〟だけは、コントロールはできても鍛《きた》えあげることはできない。これは使用者の気迫《きはく》そのもの……! 本人の成長でのみ強化される。ルフィ君……もう体験しているはずだ。キミの〝覇王色〟の資質は、すでに目を覚ましている。完全にコントロールできるようになるまでは多用してはならない。まわりにいる関係ない人間まで威圧してしまうからな」

「すげェ……」

ルフィは感動した。

「どうした？」

「海賊王の船員《クルー》は、こんな怪物を手もふれずに倒すのか……」

「わはは……少しは尊敬したか」

レイリーは愉快《ゆかい》そうに笑った。


ルフィは、ルスカイナ島の樹《き》の根もとに、〈赤髪〉のシャンクスに託された麦わら帽子を預《あず》けた。

この樹はダフトグリーンという種類のひとつで、動物が嫌がる臭《にお》いを放つ。

猛獣《もうじゅう》たちが近寄らない安全な場所は、この島では、ここしかない。

「――海賊〈麦わら〉のルフィは、ちょっと休業《きゅうぎょう》だ」

恐るべき悪魔の実の能力に対抗できるチカラ――覇気を習得するために。

〈麦わら〉のルフィは帽子を脱《ぬ》いで、いまひとたびモンキー・D・ルフィとして二年間の修業に入った。

まるで十年前のように。

〝東の海《イーストブルー》〟にある故郷《こきょう》のゴア王国で、ルフィはエースと、もうひとりの義兄《あに》サボとともに、義兄弟《ぎきょうだい》の杯を交わした。そして山賊のいる森やゴミ山で、生きるための修業を積んでいた。

自分を疑わず。

ただ強くなれると思っていた、生きることに夢中だった、あの幼いころのように。

2

バチッ、と焚《た》き火の薪《まき》が爆《は》ぜた。

水を飲むと、ルフィはカップをおいた。

「おちついたか」

「ああ……」

レイリーに応《こた》えると、息をつく。

ルフィの胸には、〈赤犬〉につけられた生々《なまなま》しい火傷《やけど》のあとがあった。

「――いまごろ、なにしてるかな」

「仲間たちのことかね？」

「ああ……」

ルフィは右腕に視線を落とした。

なにもかも失ったと思った自分に、残されていたもの。

――おれには野望がある！　世界一の剣豪《けんごう》になることだ！

もう、二度と負けない。〈鷹《たか》の目《め》〉のミホークに勝って大剣豪になる、その日まで絶対に、もう負けないと、剣士はルフィに誓《ちか》った。

――おれは〈ウソップ海賊団〉の船長で、勇敢《ゆうかん》なる海の戦士だ！

早く乗れよ、もう仲間だろ、と。ルフィは、シロップ村の狙撃手とともに、カヤにもらった〈ゴーイング・メリー号〉に乗りこんだ。

——助けて……。

魚人《ぎょじん》アーロンの一味に、家族を殺され、人生を奪われた航海士。ルフィは、彼女の未来とともにココヤシ村を救った。

——〈オールブルー〉を知っているか？

バカげた夢は、おたがいさまだ。海上レストラン『バラティエ』の副料理長は、恩人であるゼフに別れを告げると、海賊王への航路にあいのりした。

——そりゃ、海賊にはなりたいけどさ……おれなんか。

『ヒトヒトの実』を食べてしまった人間トナカイは、トナカイからも人間からも、バケモノと嫌われていた。「うるせエ！　行こう！」——ルフィは、おくびょうな青鼻のトナカイの心をひらき、海にひっぱりだした。

——わたしは……生きたいっ！

彼女は〈歴史の本文《ポーネグリフ》〉の研究を世界政府に危険視され、〝バスターコール〟で消滅させられたオハラ唯一の生き残りだった。八歳にして七九〇〇万ベリーの懸賞金をかけられ、裏社会で泥をすすってきた彼女の心の闇を、ルフィは、すべて受けいれた。

——これだけ立派な船に、大工のひとりもいねェとは、船が不憫《ふびん》だ。

自分が造った船が原因で、師匠を死罪に追いやった船大工がいた。以来、解体屋として暮らしてきた彼は、ルフィのために船を造り、胸をはって生きることを思いだした。

——生きてて、よかった。

つらくない日など、なかった。希望なんか見えもしなかった。ガイコツの姿になりはてて、数十年間も魔の海域をさまよっていた『ヨミヨミの実』の能力者の言葉だ。

「――おれは、もっと強くなって、あいつらを守りてェ……！　あいつらの夢を、守れるような男になりてェ……！」

強く、なければ。

海賊はドクロの旗を掲《かか》げられないのだ。

「きっとキミの仲間たちも、おなじように思い、この二年をすごしているんじゃないかな」

レイリーの言葉に、ルフィは心のなかでうなずいた。

すでに『オックス・ベル十六点鐘《てんしょう》』のニュースは世間《せけん》に広まっているだろう。

頂上戦争のあと、このルスカイナ島を訪れる前に、ルフィはレイリー、ジンベエをともなってマリンフォードに舞いもどった。軍艦を奪い、湾を一周して戦死者を弔《とむら》う「水葬《すいそう》の礼」をおこなったあと、広場にある神聖な鐘《かね》オックス・ベルを十六度打ち鳴らしたのだ。

年の終わりとはじまりに、去る年に感謝して八度、新年を祈願して八度、鐘を打ち鳴らすのが海兵の習わしだ。

だが、いまは時季はずれ。

それは時代の終わりとはじまりを告げる鐘として、全世界に、センセーショナルに受けとめられた。

〈白ひげ〉の時代は終わり、あらたな海賊の時代がはじまる。

ルフィは、そう宣言したのだ。

折しも、頂上戦争で破壊されたマリンフォードの取材に訪れていた世界中の記者たちが、ルフィの姿を撮影して、写真を発信した。

そこに写ったルフィの上腕には『3D2Y』と文字が記《しる》されていた。ただし『3D』には×印がつけられていた。

これには隠された意味があった。

マリンフォード頂上戦争に先立ち、シャボンディ諸島で海軍の襲撃を受けたルフィたちは、三日後、ドックに繋留《けいりゅう》した〈サウザンドサニー号〉で落ちあう約束をしていた。ところが王下七武海バーソロミュー・くまの介入《かいにゅう》によって、世界中に〝飛ばされて〟ちりぢりになった〈麦わらの一味〉の仲間たちは、その約束をはたせなくなっていた。

仲間たちはそれぞれの地で、ひとりで海底監獄インペルダウンへとエース救出にむかい、戦争で敗れ、行方《ゆくえ》不明《ふめい》になったルフィを知ることになったはずだ。

そんな仲間たちに、ルフィは自分の無事をメッセージでつたえたのだ。

三日後《3D》ではなく二年後《2Y》——約束のシャボンディ諸島で再会しようと。仲間たちだけにわかる暗号で。

「じき、夜が明ける」レイリーは焚き火に薪をくべた。「もう少しだけ寝なさい……明日の修業も厳しいぞ」

3

四十八季のルスカイナ島。今週の季節は、夏。

まぶしい太陽を背に、キノコのようなカタチをした樹から飛び降りてきたのは、体長が巨人族ほどもあるムキムキの大猿だった。

「！　っなろォ！」

大猿の背中にまわりこんで、ゴムゴムパンチを放つ。

だが、のびた拳《こぶし》が届くよりも早く、大猿は素早い身のこなしで跳《と》びのいた。

「――はずしたっ？」

巨体からは想像できない反射神経とスピードだ。ゴム人間を見るのもはじめてのはずだが、大猿は、本能だけでルフィとわたりあった。

大猿を追いかけたルフィの頭上《ずじょう》に、あらたな影《かげ》が襲いかかる。

鳥だ。こちらも翼を広げれば軍艦の帆《ほ》ほどもある、巨大ハゲワシだった。

鋭いクチバシがルフィを狙う。ルスカイナは生存競争の島――強いものは食い、弱いものは餌《エサ》になる。ハゲワシの一撃を身をよじってかわしたルフィは、ゴムのねじりをくわえたパンチをかえした。

「ゴムゴムの――」

ルフィの拳が、黒く輝いた。

見えない鎧をまとい、パワーをやどしたルフィの拳が、ハゲワシを横から殴りつけた。

「〝銃《ピストル》〟！」


ドンッッ！


ハゲワシは悶絶《もんぜつ》して、森に墜落《ついらく》した。

「出た……！」

ルフィは手ごたえを感じた。〝武装色〟の覇気だ。いまのが覇気をまとった拳……！

「――さっきの大猿《やつ》は？」

ガサッ、と物音がした。

ルフィは草ヤブのむこうを見さだめた。

片手を地面についてかまえると、両脚《りょうあし》をゴムの心臓《ポンプ》に変える。

〝ギア・セカンド〟――

ザッ、と何者かの影がジャングルから飛びだした。

待ち受けていたルフィは逃さない。

「〝JET銃《ジェット・ピストル》〟！」


ズバンッ！


空気を切り裂き、蒸気をまとったルフィのパンチが敵をとらえた。

影が、大木に激突してひっくりかえる。

「やったか……え⁉」

ガァアアアアッ！

ところが、倒したはずの敵が、すぐに起きあがって威嚇《いかく》してきた。

「うさぎ……？」

長い耳。それは熊《くま》ほどもある、うさぎだった。

うさぎはルフィに殴られたところを、かゆそうに手で払った。

いきなり、うさぎが頭をふりまわした。

長い耳が、ムチのようにルフィの頰《ほお》を右から左から、はった。

「あたたたっ……！　なにすんだ、うさぎ！」

ルフィがひるんだ隙《すき》に、うさぎはピョンピョン跳《は》ねて逃げていってしまった。

「やられたな」修業を見守っていたレイリーが笑った。「あれはタフネスラビット……打撃には、めっぽう強い。〝武装色〟の覇気を出せる確率は五分五分まで高められたようだが、〝見聞色〟は敵の気配だけでなく、どのくらいの強さであるかもわかるようにならんとな。ルフィ君……キミは目がよすぎるようだ。だから、どうしても目に頼ってしまう」

「え？」

「これでよし」

レイリーは包帯をルフィの顔に巻きつけた。

「見えねェ……！」

「しばらく、こうして修業だ」

目隠《めかく》しをされたルフィは、手探《てさぐ》りで踏みだしたが、石につまずいてころんでしまった。

「っ……！　これじゃ、なんにも……」

「音速、光速――感覚の能力を超えるスピードは、どのみち、とらえることはできない」

耳は音、目は光を感じる器官だ。

たとえば音速を超える小銃の銃弾は、銃声が聞こえたときには自分にあたっている。

光のスピードで動く敵がいたとすれば、それは目で見えたときには攻撃をくらっている、ということだ。

レイリーが〈黄猿〉とわたりあえたのは、目で相手をとらえたからではなかった。

「〝見聞色〟の覇気を習得すれば、それが可能になる」

「よし！　やってみる」

目隠しをされたルフィは、パンッと自分の拳を左手で受けた。

集中し、あたりの気配を探る。

「…………！　来る！」


バキバキバキッ！


もどってきた大猿が、ルフィを殴りつけた。

「ぎゃあああああ！　痛《い》デデデデ！」

吹き飛ばされた先にはライオンが、そしてワニが……鋭い爪《つめ》と牙をもったルスカイナの猛獣たちに、ひっかかれて、噛《か》まれて、ルフィはやられっぱなしになった。

4

夜、荒れた海。

降《ふ》りしきる雨のなか、稲光《いなびかり》に照らされた船団が、波を砕《くだ》いて進んでいた。

外遊船――世界政府の印を帆に掲げた、天竜人《てんりゅうびと》の船だ。

天竜人は、聖地マリージョアの住人たる世界貴族だ。約八百年前、いまの世界政府を打ちたてた二十人の王たちの末裔《まつえい》だという。特権階級として絶大な権力を誇《ほこ》り、たとえ私的な用事であっても、海軍をボディガードのようにひきつれていた。

砲声。

海面に、つぎつぎと水柱があがった。

砲火と稲光に照らされて見えたのは、数十隻の小型艇《こがたてい》だった。

海賊が世界貴族の船を襲っていた。艇に備《そな》えつけた砲を撃ちつつ、外遊船にとりつこうとする。そうはさせまいと、三隻の軍艦からは雨あられの砲が撃ちかえされた。

クルミの実をガリガリと手のひらでころがすと、男は老人にたずねた。

「ビョージャック……攻撃開始から何分《ぷん》だ」

片方が折れた角兜《つのかぶと》。提督風《ていとくふう》のジャケットにはドクロのマークが染《そ》め抜《ぬ》かれている。

「んと……八分か。ケホコホ……」

老人は咳《せ》きこんだ。

ビョージャックはとても小柄《こがら》で、角兜の男の肩に座っていた。病《やまい》をわずらっているのか点滴をぶらさげている。

「ぬるい……軍艦三隻と外遊船を沈めるくらいで、手間《てま》ァかかりすぎだ」

「そうはいっても！　やつらは、おめェがいないあいだに、かき集めた連中で……」

船長である角兜の男が、長く海底監獄に囚《とら》われていたあいだに、彼の海賊団は、いったん消滅した。当時のメンバーで残っているのは幹部の四人だけだった。

「頭数そろえりゃ、いいってもんじゃねェ！」

ガリッとクルミを鳴らすと、片折れ角兜の男は不機嫌そうに、

「――一分だ」幹部たちをうながした。「ナイチン、ガイラム、セバスチャン……！　おまえら手本見せてやれ」

「了解ダス」

「ガイラララ……！　ちょうどウズウズしていたとこだ」

「とっとと行こうぜ！」

まっさきに母艦《ぼかん》〈グローセアデ号〉から飛びだしたのは、セバスチャンだ。

ザバンと荒れた海に飛びこんだ巨魚人《ウオータン》は、その背に老婆《ろうば》のナイチン、ハンマーをかついだ老大工のガイラムを乗せて、猛スピードで泳いだ。

海軍の船から見れば、まるで人間が海面を滑《すべ》っているように見えただろう。

砲撃をかわした幹部たちは、ジャンプして軍艦に着地した。

甲板《かんぱん》の海兵たちは、たじろいだ。

「んん～、イキのいいコたちが、いっぱい……」

砲台に立ったナイチンが、品定《しなさだ》めする視線をむけた。

腰のまがったおばあちゃんに色目で見られて、海兵たちは怖気《おぞけ》立つ。

「………？」

「でも、やられてもらうダス！」

ナイチンは、おばあちゃんとは思えぬ身のこなしでかまえた。

身なりは医師――船医のようだが、白衣も、下に着たミニのワンピースも、靴も、どういうわけかブカブカだ。

「ふざけるなァ！」

「漢方拳法《かんぽうけんぽう》……〝解独散《げどくさん》〟！」

片脚を軸《じく》に、コマのように回転すると、たちまち猛竜巻《もうたつまき》が起こった。

小さなハリケーンと化した老婆が、若くてピチピチした海兵たちを吹き飛ばしていく。

「いつ見ても、海軍の船ってのは粋《いき》じゃねェな……おれが造りなおしてやる！」

ハンマーをかついだガイラムが、腕を掲げた。

「――〝キュー・ブレイク〟！」

その手を床にふれると、甲板に格子《こうし》状の切れ目が生《しょう》じる。

能力者だ。

一辺一メートルほどの立方体《キューブ》にバラされた軍艦は、波にあおられ、積み木が崩れるようにして大破していく。

ザバババッ！

巨魚人《ウオータン》セバスチャンが、勢いよく海中から飛びだし、高く舞いあがった。

「手間かけてんじゃねェ！」

ここまで約四十秒。

トゲトゲ棍棒《こんぼう》をふりかぶると、セバスチャンは軍艦に武器を投げつけた。

メインマストがへし折られた。

爆発をともなって、ついに軍艦が轟沈《ごうちん》する。

「バロロロ……！　やればできるじゃないか」

角兜の海賊船長は、肩に乗せたビョージャックの時計を見た。カモメの旗が海に沈むまで、きっかり一分だ。

「――残りは、おれがやる。三隻で……五十秒だ！」

「え」ビョージャックは驚いて船長を見た。「おい……うわァあああ！」

ビョージャックを乗せたまま、海賊船長は海に飛びだした。

〝月歩《ゲッポウ》〟――超人的体技・六式《ろくしき》のひとつだ。これを会得《えとく》したものは、空気を蹴《け》り、空中を歩行することができる。

まさに一足跳びで、海賊船長は外遊船に降りたった。

予期せぬ敵の出現に、海兵たちはひるんだ。

堂々たる巨軀《きょく》。海賊旗は〝ヒゲのドクロに角兜〟――

「まさか……〈世界の破壊者〉……！」

バーンディ・ワールド！

老いた海兵がうなる。

名を呼ばれたとき、海賊船長――バーンディ・ワールドはヒゲの口もとをゆるませた。

満足したのだ。この海が、まだ自分の名を覚えていたことに。

「！」

無造作にくりだされたパンチの一発で、数人の海兵がふっ飛ばされた。

銃をかまえた海兵に、さらにワールドは手をのばした。

「借りるぞ」

敵から銃を奪いとると、ワールドは、それを両手にかまえた。

「モアモア……！　〝百倍銃《ガン》〟！」

左右に放たれた二発の銃弾が、いきなり巨大化した。

ズゥンンンンンッ！

弾丸は砲弾と化す。

ワールドは、銃で軍艦を撃ち沈めてしまった。

外遊船の甲板にいた海兵たち、天竜人さえ、このありさまには言葉を失った。

そう、バーンディ・ワールドは能力者——

「よくもっ……！」

勇ましい海兵のひとりが、鎌《かま》でワールドに斬《き》りかかった。

むけられた鋭い刃先を、ワールドは素手《すで》でつかむ。

硬化《こうか》——その手は黒く変化した。見えない鎧をまとう〝武装色〟の覇気だ。

海兵の手から鎌をむしりとると、ワールドは、ふたたび〝月歩〟で嵐《あらし》の空に跳びあがった。

炎上しながら沈みゆく軍艦に照らされながら、ワールドは奪った鎌をふりあげた。

「モアモア……！　〝百倍斬《ぎり》〟！」

投げ落とされた鎌は、鋭く回転しながら百倍に巨大化——船と変わらぬ大きさになった。

ザザザザンッ！

世界政府の旗が、切り裂《さ》かれる。

一刀両断《いっとうりょうだん》――外遊船は、それこそケーキでも切るように、巨大化した鎌でまっ二つにされた。

「さすがワールド……！」

「ヒヒヒッ！　ちっとも、おとろえちゃいないドスな！」

セバスチャンの背に乗ったナイチンとガイラムは、彼らの船長の戦いぶりをたたえた。

〈グローセアデ号〉に残っていた手下の海賊たちは、おののいていた。

「圧倒的……！」

「ムチャクチャだ……！　仲間まで、ふっ飛ばしやがった」

ワールドが三隻の敵艦を沈めたとき、小型艇で戦っていた手下の海賊たちは、巻きこまれて海に投げだされていたのだ。

ワールドが〝月歩〟で母艦にもどってきた。

「どうだ」

「ちょうど五十秒じゃ」

ビョージャックの返事に満足したワールドは、あらためて新参の手下どもに告げた。

「新入りども！　よく聞いておけ！　おれの命令にしたがえないやつは、ああいう目にあう！」

燃えさかる戦場の海面に投げだされて、助けを求めている海賊たちを指さす。

「あ……あんたの命令どおり、戦ってたじゃねェか！」

声があがった。

ワールドは、また不機嫌そうに、クルミの実をガリガリと手のひらでまわした。

「ダラダラしすぎなんだよ……！　おれの命令にゃ、一分一秒の遅れも許さねェ……したがうことができねェやつは——」

ワールドは、硬《かた》いクルミの実を数個、素手で握《にぎ》りつぶした。

「——この手で殺す！　おれのために死ぬ覚悟がないやつは、いらねェ……いますぐ、おれの目の前から消えうせろ！」

さもなければ握りつぶす。

ワールドの言葉は、新入りたちの恐怖心をあおった。

こんなやつの船に乗っていたら、命がいくつあっても足りない。あの海底監獄インペルダウンから脱走《だっそう》した、伝説級の海賊だというから仲間になってみれば、こんな……。

「イカれてやがる!」

「ボートを出せ! おれは船をおりるぞ!」

数人の男が逃げだした。それを見て、少なくない数の海賊たちが、あとにつづこうとする。

ワールドは、コナゴナになったクルミの破片《はへん》を投げつけた。

悲鳴《ひめい》があがった。

クルミの破片が、逃げた男たちの背中を、投げた数十倍の速度で、散弾銃の弾のように貫いていた。

海賊たちはシィンと静まりかえった。

「つかえねェやつは、この手で消す。ここから逃げようとするやつらもだ」

壊滅した外遊船の艦隊を背に、ワールドは角兜をゆすって大笑いをした。

5

女ヶ島はルスカイナの南東、凪の帯《カームベルト》にあった。男子禁制の女人国《にょにん》アマゾン・リリーがあり、王下七武海たる〈九蛇海賊団《クジャ》〉のボア・ハンコックのもとで統治されていた。

深いジャングルの奥地に、鋭く切れおちた噴火口のような窪地《くぼち》があり、その内側に岩壁《がんぺき》都市が築《きず》かれていた。そこが九蛇の街《まち》。ひときわ目立つ瓦葺《かわらぶ》きの宮殿が、九蛇城だ。

「……来週にはルスカイナに冬がやってくる。マイナス四十度にはなろうかという極寒《ごっかん》に、あの服装では寒かろう」

ペットの大蛇《だいじゃ》サロメに身を預けて、修業中のルフィの身を案じる絶世《ぜっせい》の美女こそ、皇帝ボア・ハンコックだ。

恋はいつでもハリケーン。

彼女は日がな一日、麦わらの少年を想っては、グラマラスな肢体《したい》をアツく火照《ほて》らせていた。

「セーター、マフラー、手袋に耳あて……そうそう、パッチも必要じゃな」

思いつくままの品物をあげては、侍女《じじょ》のエニシダに書きとめさせる。

「パッチ……と」

あたたかいアンダーウェア、オシャレな股引《ももひき》のことだ。

「それに猛獣の肉ばかり食していては、栄養のバランスが……さしいれは魚介類に、野菜、果物《くだもの》、米にパン……ルフィはパスタも好きか？」

「海王類《かいおうるい》入りペンネゴルゴンゾーラを好んで食されておりました」

控《ひか》えていた戦士のマーガレットが答えた。

そこにはハンコックの妹であるサンダーソニアとマリーゴールド、先々代の皇帝であるニョン婆《ばあ》らの姿もあった。

「では大鍋《おおなべ》で用意せよ！　船で調理し、アツアツを届けるのじゃ！」

「大鍋アツアツ、と」

メモをとるエニシダの様子を見て、ニョン婆が、はァ……とため息をついた。

「なんじゃ」

ハンコックは不機嫌そうに隠居《いんきょ》の婆をにらんだ。

アマゾン・リリーの皇帝は、強い者がなる。

ボア・ハンコックがアマゾン・リリーの皇帝および〈九蛇海賊団〉の船長となったのは、十一年ほど前のこと。まだ十代だったハンコックは、最初の海賊行為で八〇〇〇万ベリーの懸賞金をかけられた。同時に世界政府は、すぐに彼女を王下七武海に任じて味方に抱きこんだ。

その〈海賊女帝〉が、ひとりの男にメロメロになっている。

「蛇姫様《へびひめ》！　レイリーと約束したはずですぞ！　ルフィは修業の身……甘やかしてはためにニャらん、と！　逢いたいという想いを心に秘め、陰《かげ》でひたすらルフィの大願成就《たいがんじょうじゅ》を祈ってこそ一人前の女というものニャ！　わしの数多き経験からいうと……おせっかいな女は男に嫌われますぞ！　そもそも王下七武海ともあろう者が……ふがっ！」

ニョン婆の頭を、ハンコックがグリグリと踏みつけた。

アマゾン・リリーの皇帝には強い者がなる。そして、おとろえた以前の皇帝に、たいした敬意は払われない。

「わかっておるわ！　それゆえルフィのジャマにならぬよう、使者を出そうとしておるのであろうが！　そちは、いちいち、うるさいのじゃ」

「姫様ご立腹の巻」

戦士のスイトピーが茶々を入れる。

ハンコックは恋する乙女《おとめ》の妄想《もうそう》に、ますます没入《ぼつにゅう》した。

「冬がすぎれば春がやってくる……ルフィに似合う春物も用意せい！」

「レースのフリルつき春物……と」

「ぬぬぬ……！　年寄りを足蹴《あしげ》にするとはニャにごとじゃ……」

と、そのとき羽音が聞こえてきた。

宮殿の間に飛びこんできたのは、コウモリ――伝書バットだった。

「世界政府から？　ニャにが……？」

ニョン婆は、伝書バットが運んできた書簡を受けとった。

その場にいた全員が、ニョン婆に注目する。

「に……ニャんと！　一大事じゃ、蛇姫！」手紙の封《ふう》を開けたニョン婆は、みるみる真剣な顔になった。「世界政府が、また王下七武海の召集《しょうしゅう》を要請《ようせい》しておる！　聞いておるのか、蛇姫っ！」

王下七武海は、世界政府と契約した「海賊を倒すための海賊」だ。

特権的立場と、ほかの海賊や未開の地からの略奪を認められているかわりに、武力をもって政府の命令にあたる義務がある。

ハンコックは七武海への加入とひきかえに、政府に女ヶ島の独立性を認めさせた。アマゾン・リリーが政府非加盟の国でありながら存続しているのは、ひとえにハンコックが七武海の地位にあるからだった。なのに……。

「ああ、ルフィ！　そなたを想うだけで、わらわの胸ははり裂けそうじゃ！　この想い、すぐにでも届けましょうぞ……！」

ハンコックはノロけて、ニョン婆は頭をかかえるばかりだった。

6

破壊のチカラ。

光、衝撃、爆音と熱が解き放たれたあとには、そこにあったはずの島が、ゴッソリと削りとられ、跡形《あとかた》もなくなっていた。

「ウソだろ…⁉　たった一発で……島が消えた！」

爆発の余波《よは》を浴びながら、手下の海賊たちは恐れおののく。

「バロロロ……！」

バーンディ・ワールドは舌をふるわせながら笑った。

〈グローセアデ号〉の巨大砲から放たれた一撃で、島ひとつが蒸発して、海の上から消えてなくなった。

ワールドは『モアモアの実』の能力者だ。

その能力は、ふれたものを、もっともっと《moremore》大きくしてしまう。

人を撃ち倒す銃弾は、船を沈める砲弾に。

船を沈める砲弾は、島を消し飛ばす破壊の一撃と化すのだ。

「よくぞ完成させたな、ガイラム」

ワールドは船大工の幹部をほめた。

「なァに屁《へ》でもねェ。おれは三十年間、信じていたんだ。あんたの復活を！」

ガイラムは胸をはった。

「信じていたのは、ワタシもおなじダス！　この船を造る資材を集めるのに、どれだけ苦労したか……！」

「そのとおり」

ナイチンとセバスチャンがいった。

三十年間。

バーンディ・ワールドが海軍に捕らえられて、海底監獄インペルダウンに収監《しゅうかん》されたのは、じつに三十年も前のことだった。

〈ひとつなぎの大秘宝《ワンピース》〉をめぐる大海賊時代以前、〈白ひげ〉エドワード・ニューゲートや〈金獅子《きんじし》〉のシキ、のちに海賊王となるゴール・D・ロジャーらによって彩《いろど》られた、かつての海賊たちの全盛期。

〈世界の破壊者〉という大仰《おおぎょう》な二つ名を冠《かん》せられたバーンディ・ワールドと〈ワールド海賊団〉もまた、その時代を語るうえで欠かせない存在だった。

「バロロロ……！　まァ、わかってる。おまえたちにゃ感謝してるぜ」

三十年といえば、命短い海賊にとっては長すぎる時間だった。

「おれたちが夢見た〝破壊の船〟……それが、ついに実現したってわけだ」

船長が見せた気づかいに、幹部たちは、やっと表情をやわらげた。

ワールドは〈グローセアデ号〉を仰《あお》いだ。

異様な船だ。船体の大半を主砲が占《し》めている。〈グローセアデ号〉は、この巨大砲の砲台といってよかった。

「ただでさえバカでかい大砲。それに、おれの『モアモアの実』の能力をつかえば、砲弾は最大百倍になる！　いまいましい世界政府と聖地マリージョアを、一発で消し飛ばすことができる！」

あの島のように。

砲撃という単純極《きわ》まりない破壊力で、世界政府を叩《たた》き壊すことができるのだ。

「――準備はととのった！　さァ！　ハデにぶちかますぞ！　バロロロ……！」

ワールドは高笑いをあげる。

だがビョージャックは、点滴スタンドをひきずって、心配そうに歩みよった。

「ワールドよ……その計画じゃが、すんなりとはいきそうにない……ケホ、ゴホッ」

「なんだって？　兄貴《あにき》」

ワールドは興《きょう》をそがれた様子で、長くつれそってきた兄弟を見た。

「先日の件……世界貴族の外遊船を沈めたことで、世界政府に往年の大海賊バーンディ・ワールドの復活を知られてしまった」

海底監獄インペルダウンのレベル6《シックス》から脱走した〝伝説級〟の海賊たち。その多くは行方をくらませたようだが、ワールドは、いち早く所在をあきらかにしてしまった。

世界政府にとってレベル6の囚人は、ひとりひとりが国ひとつを滅ぼしかねない危険因《いん》子《し》だ。レベル6の存在そのものが秘密で、大量脱獄《だつごく》はおおやけには伏せられている。

「ふん……！　なにも、あわてることはない」

「おまえの宣戦布告《せんせんふこく》を受けて、政府は……王下七武海を召集した！」

ビョージャックの言葉に、幹部と手下どもが色めき立った。

「まぢダスか……？」

幹部たちは表情をこわばらせた。手下どもは動揺《どうよう》して、ふるえあがっている者もいる。

「シチブカイ……」

ビョージャックは、ワールドに王下七武海について説明した。

あの〈白ひげ〉をふくむ四皇と呼ばれた〈新世界〉の大海賊たち。彼らと対抗しうる、海軍本部とは別の第三勢力として、わざわざ世界政府が作った制度だった。

「ほゥ……政府の狗《いぬ》か」

「そういう時代じゃよ。ただし実力は折り紙つきじゃ！　今朝《けさ》の召集を受けて、数日中に七武海はマリージョアに集結するじゃろう。そうなってしまっては、おまえの計画もすんなりとは……」

ビョージャックは、ポケットやバッグからありったけの電伝虫《でんでんむし》をとりだした。彼のもとに集まったあらゆる情報が、七武海の召集をしめしていた。

「ちょっと待て」ワールドは兄を見た。「七武海の召集は、今朝の話なんだな？」

「ああ……それが、どうした？」

いいことを思いついたといって、ワールドはヒゲをなでた。

「ここから、いちばん近い場所にいる政府の狗はだれだ……？」

第二幕

覇気

1

「クッソ～！　あのゴリラとワニ、それにライオン！　これ食ったら、もう一回だ！」

ルスカイナ島。

キャンプの焚《た》き火で肉をあぶりながら、ルフィは悔《くや》しがった。

マリンフォード頂上戦争の傷は癒《い》えたが、それとは別の生傷をいくつも作っていた。

「また、森へ入るのか」

「ああ！　あいつらには、やられっぱなしだからな！」

ルフィはレイリーに答えた。

目隠《めかく》しは食事のときもしたままだ。骨付き肉を頬《ほお》ばると、水で一気に流しこむ。

口をぬぐうと、ルフィは森へとってかえした。

まだ修業は入り口だ。レイリーは静かに弟子《でし》を見守った。

しばらく森を駆けまわったルフィだったが、めあての修業相手は見つからなかった。

「あいつら、どこ行った？　おーい！　ゴリラ！　ワニ！　ライオン！　もっかい、おれと戦えー！」

目隠しをしたルフィは、そのとき、いい匂《にお》いに気がついた。

これは、たまらない。

よだれをたらしたルフィは、匂いがするほうに走ると、辛抱《しんぼう》たまらず目隠しをはずした。

海辺に、なぜか大鍋《おおなべ》がおかれていた。火にかけられた大鍋のなかでは、ペンネと魚介類がグツグツと煮《に》えている。

「やっぱり！　これ、食っていいんだよな！」

ごちそうを前にしたルフィはとまらない。アツアツのペンネを手づかみで食べはじめた。


そんなルフィの様子を、ジャングルの木の陰《かげ》から見守っている者たちがいた。

サンダーソニアとマリーゴールド、アマゾン・リリーの女戦士たちだった。

「姉様《あねさま》、ルフィが来ました……ええ、元気そうです」

サンダーソニアが電伝虫《でんでんむし》で話しているのは、女ヶ島《にょうがしま》にいる皇帝ボア・ハンコックだ。

『──あァ、ルフィがそこに……』

恋する乙女《おとめ》の声はメロメロだ。

電伝虫のむこうでニョン婆《ばあ》が、なにかブツクサいっているのが聞こえてきた。

「あいかわらず、すごい食欲」

戦士のアフェランドラが目を丸くした。

海王類《かいおうるい》のペンネは、鍋の底が破れたような勢いで減っていく。もっとも食い意地につられて彼女たちの存在に気づかないようでは、ルフィの〝見聞色《けんぶんしょく》〟の覇気《はき》は、まだまだ修業が足りないようだ。

「あ、フリルつきの春物も食べちゃったの巻」

「姉様、ルフィが春物を……」

鍋のそばにおいた着替えまで、ルフィは気づかずに食べてしまった。

『春物をどうしたというのじゃ……？』

電伝虫のむこうでハンコックがたずねたとき、彼女たちは、背後にせまった敵に気づいていなかった。

「アマゾン・リリーの女帝《じょてい》はどこにいる」

「!?」

身がまえる間もなく、サンダーソニアが殴り飛ばされた。

「何者だ！」

姉をかばいながら、マリーゴールドが長刀《ナギナタ》をかまえる。

「おれはバーンディ・ワールド……！　世界政府の狗《いぬ》、王下《おうか》七武海《しちぶかい》のボア・ハンコックをさらいに来た」

ルスカイナ島にあらわれた角兜《つのかぶと》の海賊は、いってのけた。

「姫様をさらいに……？」

「蛇姫《へびひめ》様は、ここにはいないの巻！」

アマゾン・リリーの女戦士たちは身がまえた。

この反応を見て、ワールドは肩に乗せたビョージャックをにらんだ。

「おい……どういうことだ」

「いや！　ボア・ハンコックが、ここにいるとはいっておらんぞ。九蛇《クジャ》の海賊船が海岸に停泊《ていはく》していたから、もしや、と……ケホ、ゴホッ」

ビョージャックはあわてて言い訳をした。

立ち去ろうとしたワールドを、マリーゴールドが呼びとめた。

「無駄骨《むだぼね》か……」

「待て！　姉様をさらうなどという輩《やから》を、見すごすとでも！」

マリーゴールドは変形した。

彼女は『ヘビヘビの実モデル〝キングコブラ〟』の能力者だ。動物系《ゾオン》悪魔の実は、変形能力とともに身体能力を高めることができる。

「姉……だと？」

ワールドがふりかえった。

巨大な蛇と化した女には、さして驚いた様子《ようす》もなくマリーゴールドをにらむ。

『ソニア！　マリー！　そこで、なにが起こっているのじゃ！　返答いたせ！』

電伝虫から声が響いた。

「バロロロ……！　なるほど、女帝は電伝虫のむこうか」

ボア・ハンコックを姉と呼ぶアマゾン・リリー皇帝の妹を、呼び捨てにする者がいるとすれば、それは〈海賊女帝〉本人しかいない。

ワールドが突進した。

ガキィィン！

ワールドの拳《こぶし》とマリーゴールドの長刀が激突し、鈍《にぶ》い音が轟《とどろ》いた。

たがいに〝武装色《ぶそうしょく》〟の覇気をこめていた。そうでなければ、どちらかが吹き飛ばされていたはずだ。

「──〝モアモア十倍散弾〟！」

舞いあがった砂粒にワールドが手をふれると、砂粒は十倍の大きさになった。

散弾となって撃ちだされた砂つぶてを顔に浴びて、マリーゴールドはのけぞった。

「マリー様！」

戦士のマーガレットとスイトピーが矢を放つ。

九蛇の戦士たちは戦技に長《た》け、矢に〝武装色〟の覇気をまとわせることができた。

「ふん！」

〝剃《ソル》〟──矢よりも速く、瞬間移動で戦士たちの背後にまわったワールドは、パワーで圧倒した。


森が爆《は》ぜる。


大鍋料理を頬ばっていたルフィは、やっと異変に気がついた。

マーガレット、スイトピー、アフェランドラらアマゾン・リリーの顔見知りたちが、森から飛びだしてきた。

「おー、おまえら！　……そうか！　この食い物、おまえらがもってきてくれたのか？」

「ルフィ……早く逃げろ！」

マーガレットが叫ぶ。

「どうした？　猛獣《もうじゅう》に襲われたのか？」

ルフィが首をひねったとき、草ヤブをわけて何者かがあらわれた。

「…………？　だれだ、おめェ」

片折れ角兜の男――バーンディ・ワールドが、大鍋の前にいる若者に気がついた。

気を失ったサンダーソニアとマリーゴールドを脇《わき》にかかえて、ひきずっている。

ルフィを一瞥《いちべつ》し、おまえに用はないとばかりに無視して、ハンコックの妹をつれ去ろうとした。

マーガレットら女戦士たちの必死の表情を見て、ルフィは、

「なにしてる……ッ！」

黒化――〝武装色〟の覇気をまとったゴムゴムパンチで、角兜の横っ面《つら》をぶん殴った。

ギィン！

「痛《いて》ェな……なんだ、おまえは……？」

ワールドは頭部に覇気をまとって耐《た》えると、逆に〝武装色〟の蹴《け》りをかえした。

「ぐァ！」

鍋をひっくりかえして、ルフィは崖《がけ》の岩に激突した。

『ゴムゴムの実』の能力者であるルフィに打撃は効かない。しかし覇気をおびた攻撃は、悪魔の実の能力をもちいた防御を無効化してしまうのだ。

岩にめりこんだルフィは、苦しそうに息をつく。

ワールドはサンダーソニアを地面に放《ほう》ると、小石を拾った。


「散れ……〝モアモア百倍銃《ガン》〟！」


小石を軽く投げつける。

ルフィは、相手がなぜそんなことをするのかわからず、困惑《こんわく》した。

「そんなもの……ッ⁉」

『モアモアの実』は、ふれたものの大きさ、速度を、それぞれ百倍まで巨大化できる能力だ。

ワールドが投げた小石は、百倍の質量、百倍の速度でルフィに襲いかかった……！

＊

ド────────ンッ！


すさまじい音が、電伝虫ごしにボア・ハンコックの耳をふるわせた。

海賊女帝の表情が色めきたつ。

「ルフィ……⁉」

電伝虫にむかって呼びかけた。しかし彼女は、ふたりの妹が捕《つか》まっている状況を、まだ理解できていなかった。

『アマゾン・リリーの女帝だな』

電伝虫から聞こえてきた声は、ルフィのものでも妹たちのものでもなかった。

「ルフィは……ルフィは無事か！」

『んん？　ルフィ……』

『あの小僧のことでは？』

電伝虫のむこうで、ふたりの男が会話をしていた。

『バロロロ……！　自分の目でたしかめろ』電話口の男が告げた。『おれはバーンディ・ワールド。この島にビブルカードを残しておく。王下七武海のボア・ハンコック、政府の狗よ！　妹たちをかえしてほしければ、おれを追ってこい！』

2

ルフィが目覚めたとき、そこにはレイリーとボア・ハンコックの姿があった。

「ハンコック……なんで、おまえたちが」

ここはルスカイナ島だ。〈海賊女帝〉は女ヶ島にいるはずだ。

彼女が、連絡を受けて駆けつけるまでのあいだ、ルフィは意識を失っていたのだ。

「気づいたか。よかった……」

「痛《い》てて……」

起きあがろうとしたが、体がいうことをきかない。

覇気をこめた小石ひとつで、ルフィは、これほどのダメージを受けてしまった。

「無理をするな。そのまま寝ていろ」

レイリーが弟子にいった。

「あいつらは……！」

「マーガレットたちは手当てを受けて眠っておる。ソニアとマリーは……」

ニョン婆は言葉をにごした。

「つれていかれたんだな……あの野郎《やろう》」

ルフィは悔しくて、拳を握《にぎ》った。

「バーンディ・ワールド……その名を、また聞くことになるとは」

レイリーが語った。

バーンディ・ワールドは三十年以上も前に活躍した海賊だ。レイリーやロジャー、〈白《しろ》ひげ〉らと、おなじ時代を生きた男だった。

「先日、蛇姫が破り捨ててしまった世界政府からの書簡！　その七武海召《しょう》集《しゅう》の原因とニャっていた男じゃよ！」

頂上戦争に際して、海底監獄《かんごく》インペルダウンのレベル6《シックス》から脱獄《だつごく》した、最悪の囚人《しゅうじん》たちのひとりだという。

「どうやらワールドとやらの狙《ねら》いは、わらわのようじゃ」

ハンコックは不機嫌だ。人質《ひとじち》などというまわりくどい手段も、追いかけてこいという上から目線の態度も、なにもかもが気に入らないのだった。

九蛇の蛇姫は、ワールドが残していった紙片を手にした。

命の紙《ビブルカード》。

特殊な方法で爪《つめ》をまぜて作られた紙で、つねに持ち主のいる方向と、その生命力をしめす性質がある。

バーンディ・ワールドは、彼のビブルカードをルスカイナ島に残すと、サンダーソニアとマリーゴールドをさらっていった。

帝妹たちはアマゾン・リリー屈指《くっし》の戦士たちだ。それが、ふたりがかりで負けてしまった。バーンディ・ワールドの強さは計《はか》りしれない。

「妹たちを、とりかえしに行くのか」

レイリーがハンコックを見ると、ニョン婆が、

「しかし、その男が本物のバーンディ・ワールドじゃとすれば、蛇姫といえど……」

相手は、王下七武海が全召集されるほどの海賊なのだ。

しかも人質をとられている。いいやボア・ハンコックは、たとえ身内だろうと人質など気にせぬ恐るべき性格ではあったが。それにしても自分の妹を盗《ぬす》まれて、黙《だま》っているほどおとなしくもない。

「おれも行く」ルフィは立ちあがった。「ハンコック！　いっしょにつれていけ」

「ルフィ……！」

名前で呼ばれただけで、ハンコックはプロポーズを受けたかのように頬を赤らめた。

女ヶ島には女しかいない。アマゾン・リリーの住人は、男関係や恋愛についての知識と免疫力《めんえきりょく》がなく、なにかのきっかけで〝恋煩《こいわずら》い〟になると、この〈海賊女帝〉のようにメロメロになってしまうのだ。

「ルフィ……キミはこの島で二年間、修業をするという約束だ」

レイリーが釘《くぎ》をさした。

「わかってる」

「キミは、まだしっかりと覇気を会得《えとく》していない。『モアモアの実』の能力者、〈世界の破壊者〉バーンディ・ワールドは本物の大海賊だ」

レイリーは暗《あん》に告げた。いまのルフィでは勝てないかもしれない、と。

「おれは！」

「キミは、なんのために、この島にいるんだ？　もう一度、仲間と会うため……仲間を守れる男になるためではなかったか」

「あいつらは……おれのためにメシを届けに来てくれたんだ。じっとしてなんか、いられねェ！」

なにかを守れる人間になりたい。

そういう男は、たとえ自分のチカラが未熟であっても、それを言い訳にして、いま守るべき者から目をそらすことはできない。

「わらわがいるのだ。ルフィを殺させはせん」

ハンコックもレイリーに訴《うった》えた。

レイリーは束《つか》の間、思いにふけると、

「生きて、もどってこい」

短く、だが、はっきりと弟子に申しつけた。

「ああ！」

師匠の許しをもらって、ルフィは表情を明るくした。

「くれぐれも慎重にな」

ルフィは革命家ドラゴンの息子として、世界政府に追われていた。いまは世間から隠れている身。まちがっても海軍と接触するわけにはいかなかった。

3

マリンフォードの街《まち》と要塞《ようさい》は、いまだに破壊の跡《あと》が生々《なまなま》しい。

海軍本部の首脳たちのあいだでは、近ごろの話題の中心は、本部の移転計画と、脱獄したバーンディ・ワールドの復活だった。

「まるで猛獣だねぇ……！　世界貴族、海軍、海賊！　目につくものを、つぎからつぎへと手にかけて……これも、やつの仕業《しわざ》なのかい？」

ストライプのスーツを着た大将〈黄《き》猿《ザル》〉ことボルサリーノが、ソファに腰を落として新聞を読んでいる。

「政府は、そう見ています。世界貴族の外遊

船襲撃後、七武海の召集を即断。すでに三日前、伝書バットを飛ばしたもようです」

伝令将校のブランニューが報告する。

「ぬぅ……！　わしらの頭ごしに……！」

〈赤犬《あかイヌ》〉サカズキは、葉巻《はまき》をくゆらせながら不服そうに顔をしかめた。

海軍は、天竜人《てんりゅうびと》の護衛に失敗した。脱獄を許した責任も海軍にある。まったく面目《めんぼく》丸つぶれといってよく、海軍の失態の尻《しり》ぬぐいを、政府は七武海にやらせようというのだ。

「当然の召集だね」

「おつるさん……」

〈黄猿〉が、つる中将を見た。彼女はセンゴク、ガープらの同期で〈大参謀《だいさんぼう》〉と呼ばれる海軍本部のご意見番だ。

「天竜人の船を沈めるというのは、そういう

こと」

天竜人は、世界貴族として聖地マリージョアに住む特権階級だ。天竜人の前を横切っただけで、銃殺されても文句はいえないほどなのに。

ゆえにワールドには、むごたらしい最期《さいご》があたえられなくてはならなかった。

「――三十年前〈世界の破壊者〉と恐れられた男……それほど政府はワールドを問題視しているのさ……！」

＊

九蛇の海賊船。

ルフィとアマゾン・リリーの戦士たちは、ビブルカードを頼りにワールドを追った。

凪の帯《カームベルト》に、ふつう船はいない。

いるとすれば漂流船だ。〈偉大なる航路《グランドライン》〉を挟《はさ》むカタチでのびるこの海域には、風と潮流がなく、動力を持たない船は進むことができない。たとえ動力船であっても、大型の海王類が多数生息しているため、沈められてしまう。

〈九蛇海賊団〉の船は、遊蛇《ユダ》という二頭の大海蛇が曳航《えいこう》していた。遊蛇は、海王類の命さえ奪う猛毒を持っているため、襲われずにすむのだ。

「――〈世界の破壊者〉？」

ルフィはニョン婆に問いかえした。

「うむ。目につくもの、すべてを叩《たた》きつぶすワールドの存在は、民《たみ》だけでニャく、ほかの海賊たちにとっても危険極《きわ》まりないもニョだった」

「そんな男が、なぜ人質などをとって、わらわを狙う？」

「それはニャんとも……だがワールドは、蛇姫を政府の狗と呼んでいた。おそらくは、自分をだまし討《う》ちにした世界政府へのうらみを晴らすために……」

ニョン婆は三十年前のことを語りはじめた。

破壊者ワールドをつぶすために、当時の世界政府は策《さく》をもちいたのだという。

「政府は密《ひそ》かに、やつにうらみを持つ海賊たちを集めると、海軍と共同で『ワールド殲滅《せんめつ》作戦』を決行したのニャ……！」

＊

「――おまえたちのルーキー時代のことさ。覚えているだろう？」

つるはサカズキとボルサリーノを見た。

「そうだったねェ……」

ボルサリーノがうなずいた。

こうして海軍本部の頂点に立つふたりにも、新兵の時代があった。伝説の海兵として、いまも語りつがれる〈黒腕《こくわん》〉のゼファーという元大将がいるが、彼が現場をしりぞいて教官になったのが三十年くらい前。彼の教えを受けた第一期生が、サカズキとボルサリーノだった。

「――ワールドと交戦した海軍と海賊は、逆に、撤退《てったい》寸前まで追いつめられちまった」

『モアモアの実』の能力は、艦隊戦において無類の強みを発揮《はっき》した。

「あわや敗北かというとき……われわれの知らぬところで政府が潜りこませていたスパイによって戦況が一転、〈ワールド海賊団〉は自滅した」

それが『ワールド殲滅作戦』の顚末《てんまつ》だ。海軍にとっては苦い記憶だった。

瀕死《ひんし》のままインペルダウンに収監《しゅうかん》されたワールドはレベル6に落とされ、冷凍されて仮眠状態になった。やがて人々の記憶からも忘れさられたのだ。

「〈黒ひげ〉がレベル6からつれだして一味にくわえた四人のほかにも、脱獄に成功した囚人がいたと、センゴクさんから聞いちょる」

サカズキは思案《しあん》する。

レベル6に死体がなかった囚人は、逃げたと考えるしかなかった。そのなかにはバーンディ・ワールドの名もあった。

「とんだ男をシャバに出してしまったねェ……！　海軍本部の移転と、新体制への移行がかさなるいま、タイミングは最悪だ」

マリンフォード頂上戦争のさまざまな責任をとって、センゴク元帥《げんすい》は辞任《じにん》の意思を固めた。

後継はサカズキだ。これには世界政府の意向がはたらいていた。彼は海軍本部を〈赤い土の大陸《レッドライン》〉のむこう側、〈新世界《しんせかい》〉の海に移転することを決定した。なお、この人事にあたって〈青雉《あおキジ》〉ことクザンはサカズキと対立、すでに海軍を辞《じ》している。

つるは一枚の書類を手にした。古びた手配書だった。

「バーンディ・ワールド……懸賞金は最終的に五億ベリー。超人系《パラミシア》『モアモアの実』の能力者。その能力は、ふれたものの大きさ、速度を百倍まで高めることができる。〈世界の破壊者〉……その異名《いみょう》は伊達《だて》じゃない」

簡単に百倍というが、大きくなれば質量はタテ×ヨコ×高さで三乗倍になる。直径一センチの銃弾は直径一メートルの砲弾に。直径一メートルの砲弾は、直径百メートルの隕石《いんせき》になる。

質量はエネルギー、つまり破壊力に比例する。

破壊力は速度の二乗に比例する。速度が百倍なら破壊力は一万倍になる。

おおざっぱに計算すると、バーンディ・ワールドの『モアモアの実』は、破壊力を最大で百の五乗——百億倍にできる能力だ。

砲弾一発が隕石に匹敵《ひってき》する破壊力をやどし、街ひとつを滅ぼすことができるのだ。

サカズキは立ちあがった。

おつるとボルサリーノ、ブランニューは、彼らの、あらたな司令官を仰《あお》いだ。

「ワールドが、このあたりの海をウロチョロしておるのは襲撃情報から明白……！　出撃の用意をせい……！」

＊

〈グローセアデ号〉の司令塔で考えにふけっていたビョージャックのところに、靴音が近づいてきた。

「ここにいたのか」

「ワールド……」

ビョージャックは弟をふりかえった。ワールドは点滴をさげた兄のかたわらに立った。

「なにを考えていた」

「いや……〈海賊女帝〉がいっていたルフィという名……どこかで聞いたような、と」

「あの小僧か？　バロロロ……思いだせないなら、その程度のやつだ。気にするな」

〈世界の破壊者〉は豪快に笑った。どのみち、あの小僧はペチャンコだ。

「ところで……おまえ、本当にマリンフォードに行くつもりか……コホッ」

「心配にはおよばねェ、そのための女帝だ」ワールドは笑い飛ばした。「政府から召集を受けている、あの女を盾にできりゃ、難《なん》なくマリンフォードまで行ける。そこから、この船の巨大砲をマリージョアに撃ちこんでやるんだ。想像してみろ……ぶっ飛ぶ世界政府と天竜人！　絶景、まちがいなしだ！　バロロロ……！」

　海軍本部からの砲撃で、世界政府の中心が壊滅する。

　それが三十年間投獄《とうごく》されていたバーンディ・ワールドが、憂《う》さ晴《ば》らしのために描いた、楽しい破壊劇だった。

「わしは……この計画には反対じゃ」

　ビョージャックは意を決した表情で、彼の恐るべき弟に訴えた。

「反対……？」

とたんにワールドは不機嫌になった。それでもビョージャックは話をつづけた。

「巨大砲と、この船は、わしら〈ワールド海賊団〉の自由の象徴《しょうちょう》ではなかったか……？」

「おれは監獄で三十年の人生をムダにした。あいつらこそ、おれの自由の敵そのものだ」

「！　そうだ……そうだが……」

ワールドの『モアモアの実』の能力と巨大砲があれば、政府も、ほかの海賊も、うかつに手出しはできない。だからこそ自由にふるまうことができるだろう。

だが、いったんマリージョアを砲撃して世界政府との全面戦争になってしまえば、あとは戦争と――滅びの道だ。

はたして、それは自由といえるのか……。

「おれの命令は絶対だ」

「………！」

船長の――弟の怒気《どき》に、ビョージャックは心底ふるえた。

「おまえたちは黙って命令にしたがってりゃァいい！　兄貴《あにき》であっても、背《そむ》く者は……」

『――船長！』ワールドの電伝虫に、見張りのガイラムの声が響いた。『九蛇だ！　九蛇の船が接近中……！』

4

海は、朝の光に覆《おお》われていく。

「ビブルカードは、このあたりをしめしているのじゃが……」

ハンコックは手のひらに載せた紙片を観察すると、あたりを見まわした。

だが、あたりに船影はない。

凪の帯《カームベルト》を抜けて〈偉大なる航路《グランドライン》〉に入っていた。海軍本部のあるマリンフォードからも、そう遠くない海域だ。

「なんにも見えねェな……ん？」

甲板《かんぱん》で手をかざしていたルフィが、気配《けはい》に気づいた。

ゴゴゴゴゴ………

地鳴りのような音が聞こえてきて、船をふるわせた。

二頭の遊蛇が、なにかに気がついて鎌首《かまくび》をもたげる。

「なんじゃ？」

「ニョ……ニョおおおおっ⁉」

ザザザァ――――――――ッ！

いきなり、目の前の海面が大きくふくらんだ。

「これは……島？　いや！」

ただ、あっけにとられて見ているしかなかった。

海中からあらわれたのは、船――小島ほどもある潜水艦だったのだ。

「ぬァあああああ！　デケェ！」

ルフィはびっくりだ。九蛇の海賊船が、小舟《こぶね》に見えるほどの巨大艦だ。その司令塔には、ヒゲのドクロに角兜の旗がなびいていた。

「来たな、アマゾン・リリーの女帝よ」

司令塔の外にあらわれたのは、〈世界の破壊者〉バーンディ・ワールド。

そして彼の下で、船体外殻《がいかく》の一部が開放される。船内のホールになった空間に、鳥カゴのような檻《おり》がぶらさげられており、そこにサンダーソニアとマリーゴールドが捕《と》らわれていた。

「姉様！　面目ない！」

九蛇の海賊船とハンコックに気がついて、ふたりの帝妹が声をあげた。

「ソニア……マリー……」

「いま、助ける！」

ルフィが叫んだ。

「……ん？　見ろ、ワールド！　あの小僧は！」

ビョージャックは、ルスカイナ島で始末したはずの少年がいることに気がついた。

「タフさだけは一人前のようだな」ワールドは、さしてルフィを気にはとめず、声をあげた。「政府の狗ボア・ハンコックよ……おれがバーンディ・ワールドだ！　おまえを歓迎しよう！」

〈グローセアデ号〉の船体のあちこちから数十もの砲身《ほうしん》があらわれた。

潜水戦艦。

九蛇の船に狙いをさだめると、一斉《いっせい》砲撃が火を噴いた。

それよりも早く、遊蛇は回避行動に移っていた。砲撃をかわし、九蛇の船は巨大な潜水戦艦のふところに潜りこむ。そうはさせまいと〈グローセアデ号〉の連装砲が迎え撃つ。


ドドドドドドドンッ！

「まかせろ！」

ルフィは、ジャンプすると自分の体を盾にした。


――〝ゴムゴムの風船〟！


空気を吸いこんだルフィは気球のように大きくふくらんで、砲弾を受けとめ、ゴムの体ではねかえした。

「なんと！」

「バロロロ……！　ゴムの能力者か！」

驚くビョージャックを尻目にワールドは笑った。ルスカイナ島で百倍に巨大化させた石の下敷きになった少年が、生きていた理由も、それでわかった。

「――ビョージャック！　弾を」

さしだされたワールドの手に、ビョージャックは銃弾を載せた。

ワールドは四発の弾を指のあいだに挟んだ。

「〝モアモア五十倍砲〟！」

たちまち砲弾と化した弾が、ルフィを狙った。

弾にはワールドの覇気がこめられていた。ゴムの能力では受けとめることができず、かわすしかない。

「〝武装色〟……？　やべ！」

だが一発が、肩をかすめて爆発した。

炸薬弾《さくやくだん》だ。爆発した火薬の量も、もとの銃弾の十数万倍だ。

爆圧で、ルフィは海面に叩きつけられた。

「ルフィ……！　サロメよ！」

ハンコックは、ふだんの彼女からは想像もつかないほど動転して、いつも襟巻《えりま》きのように体に巻いている大蛇《だいじゃ》のサロメを救助にむかわせた。悪魔の実の能力者は、海に落ちれば自力で浮かびあがることはできないのだ。

〈グローセアデ号〉の外部ハッチがひらいて、海賊の戦闘部隊があらわれた。

白兵戦《はくへいせん》に備《そな》えて九蛇の戦士たちが身がまえる。

「女帝よ！　おとなしく降《くだ》れ」

ワールドが命じた。

海賊たちは、悪魔の実の能力を封《ふう》じる海楼石《かいろうせき》の手錠《てじょう》を用意していた。きっと帝妹たちも、枷《かせ》をはめられているのだろう。

司令塔にいる敵の船長をにらみかえすと、ハンコックは――艶《つや》っぽい仕草《しぐさ》で身をかがめて、甲板に手をついた。

前かがみの姿勢で、豊かな胸もとが強調される。海賊の男どもは反則技の色気《いろけ》につられて「おっ？」となった。

それが命取りだ。

〈海賊女帝〉は七武海に召集されるほどの女だ。並の男が束《たば》になろうと、とりおさえられるものではない。そして大事なことは、性格的に、彼女に人質は関係ない。長い脚《あし》で蹴りを放つと、一撃で、海賊どもは動かなくなった。

彼らは――石になりはてていたのだ。

ボア・ハンコックは能力者だ。『メロメロの実』は、自分を見た相手を魅了《みりょう》し、石化させる能力だ。

「降れ、じゃと……？　わらわの愛《いと》しき人に、このようなまねをしておいて、なんたる言い草」

〈海賊女帝〉はワールドへの敵意をむきだしにした。

彼女は、ルフィを傷つける者が許せないのだ。

「かまわねェ……！　その女、殺してしまえ！」

「待て、ワールド！　女帝は囮《おとり》にするんだろう？」

「ただの囮だ。屍《しかばね》を磔《はりつけ》にすりゃあ用は足りる……撃て！」

海賊たちはハンコックをとり囲《かこ》むと、銃の引き金に手をかける。

ハンコックは、ハンドサインでハートマークを作った。


――〝メロメロ甘風《メロウ》〟！


ハート色の風が輝く。

直後、薫《かお》るほどの色香《いろか》を浴びた海賊たちは、『メロメロの実』の能力者の虜《とりこ》となり、またしても石になりはてた。

「なんだァ……？　石に？」

「あれが〈海賊女帝〉の石化能力……！」

ワールドとビョージャックが、うなる。

そのあいだに、大蛇のサロメがルフィを甲板に助けあげた。

「あの小僧……そうじゃ！　ルフィといえば〈麦わら〉のルフィ……！」

ビョージャックは億越えルーキーの名前を思いだした。

「おれの手にかかって死にたいようだな」

三十年ぶりの小手調《こてしら》べとばかり、ワールドはみずから戦おうとした。

『あんたが出るまでもねェ』

電伝虫に声が入った。

「セバスチャンか……五分で、できるか」


サロメに助けあげられたルフィに、ハンコックが駆けよった。

「――無事じゃったか、ルフィ！」

「ゲホッ……すまねェ」

ルフィは水をはいた。

立ちあがると、ふたりは〈グローセアデ号〉にむかった。

さっき海賊たちがあらわれたハッチから船内に侵入《しんにゅう》しようとしたとき、いきなり海面から攻撃がしかけられた。

――〝大撃水《おおうちみず》〟！

打撃力をともなった水の砲弾が、ルフィたちを横から狙い撃った。

　また海に落とされてはたまらない。ルフィはハンコックを抱きとめると、ゴムの腕をのばして、潜水戦艦の外殻にある鉄柵《てっさく》につかまった。

　そのまま〈グローセアデ号〉に着地する。

「シッシッシ……！　デケェ船だろ」

「！」

「おれはセバスチャン。案内してやるさ……地獄へ！」

　セバスチャンはトゲトゲ棍棒《こんぼう》をふるって、ふたりに襲いかかった。

　ルフィとハンコックは左右に跳《と》んで、分かれた。

「うおっ！」

追撃を受けて、ルフィは距離をとろうとする。トゲトゲ棍棒の先端は刃物同然に鋭く、ゴム人間といえども、くらえば、ただではすまない。

「おのれ！」

背後をとったハンコックが攻撃をしかけようとしたが、すかさず反撃を受ける。

セバスチャンは、ふたりを相手に一歩もひかなかった。

ハンコックは手でハートマークを作った。

「よくも、わらわの愛しき人にトゲトゲの棍棒を！　〝メロメロ甘風《メロウ》〟！」

ハート光線がセバスチャンを貫いた。

だが——

セバスチャンは、なにごともなかったように、平然としていた。

ハンコックは首をかしげて、ハテナマークを浮かべた。

「なぜ石化せん……？　わらわの魅力がつうじぬというのか」

「わるいな」

サングラスをとったセバスチャンの両目には切り傷があり、眼球が白くにごっていた。

「！　目が……」

「あんたの魅力とやらは、おれにには、さっぱりだ」

ハンコックの『メロメロの実』は、能力者に見惚《みと》れさせて相手を石化させる能力だ。それは男にかぎらず女であっても、巨人だろうと魚人《ぎょじん》だろうと効く。

だが失明した相手に、彼女の石化能力はつうじなかった。

「………!」

セバスチャンがふりむくと、そこには熱い蒸気をおびたルフィがいた。

ギア・セカンド――

「〝JET銃《ジェット・ピストル》〟!」

横っ面を殴られたセバスチャンは甲板に倒された。

「……なかなか、やるじゃねェか」

切れた口の血をぬぐって、セバスチャンが立ちあがる。

「じょうぶだな、こいつ」

「礼は、きっちりさせてもらうぜ……うおおおおおお!」

5

早朝の〈偉大なる航路《グランドライン》〉。

海賊旗は〝ドクロのピエロ〟――〈偉大なる航路《グランドライン》〉を、のんきに航海する船があった。

「おい……あれ、島だよな」

見張りが告げると、甲板に海賊たちが集まってきた。

「いや、ちょっと待て！　ありゃ、でっけー船だ」

「ウソだろ？　上で、なんか暴れてるぞ」

「巨人族か」

「ありゃあ巨魚人《ウオータン》だ！　巨人と魚人のハーフだ！」

望遠鏡をのぞいた海賊が、興奮して声をあげる。

「どけどけどけ、もめごとかァ！」

どーん、と登場したのは、この海賊船の船長だ。

「キャプテン・バギー！」

ピエロみたいな赤《あか》っ鼻《ぱな》。〝東の海《イーストブルー》〟の町を襲って小銭を稼ぐ、懸賞金一五〇〇万ベリーかそこらのローカル海賊だったが、先の頂上戦争において一躍《いちやく》名をあげた。

手下の多くはインペルダウンの元囚人たちだ。結果的に脱獄作戦のリーダーとなり、なりゆきで頂上戦争の主役のひとりとなったバギーを尊敬して、行動をともにしていた。

バギーは、ゴキゲンだ。

「このバギー様が、王下七武海として初召集されるハレの日に！　やりあってるのは、どこのどいつらだァ！」

頂上戦争から数週間――空白地となった〈白《しろ》ひげ海賊団〉の領海《シマ》をめぐる争《あらそ》いで、世界情勢は不安定になっていた。

海軍本部は、戦争の被害と、元帥の交代にからんだ混乱で一時的に弱体化していた。

そんなタイミングで起きた、モンキー・D・ルフィによるオックス・ベル十六点鐘事件とレベル6脱獄囚への対応のために、世界政府は三名もの欠員が出てしまった王下七武海の補強にせまられた。

王下七武海の存在意義は、海軍本部と四皇《よんこう》、あるいは世界政府とその反対勢力に対して、つねに第三勢力として抑止力《よくしりょく》を発揮することだ。

ゆえに、求められるのは「強さ」ばかりではなく「知名度」だった。

王下七武海・バギー。

あの海賊王ゴール・D・ロジャーの元船員《クルー》であり、四皇〈赤髪《あかがみ》〉ことシャンクスの兄弟分。いまや彼は、プロフィールだけなら真のワールドクラスだ。本来、彼よりも懸賞金が高いはずの元囚人たちも、いまや「一生《いっしょう》ついていきます」とバギーをあがめていた。

伝説の住人だったバギーは、いま、彼の伝説を生きはじめたのだ。

「――たいへんだガネ！」双眼鏡をのぞいたMr.《ミスター》・3《スリー》が顔をひきつらせた。「あれは〈ワールド海賊団〉！　七武海召集の原因になったバーンディ・ワールドの船だガネ！」

「なにー⁉」

バギーは、ピエロらしく大げさなリアクションをとった。

まさか、そんな段取りのできた話があるわけがない。バギーは双眼鏡をひったくると巨大船をのぞきこんだ。

「あるわけ……あったー！」

〝ヒゲのドクロに角兜〟――〈世界の破壊者〉バーンディ・ワールドの旗印だった。

〈ロジャー海賊団〉末期の見習いだったバギーにとって、三十年前に投獄されたワールドは、ひとつ前の世代の海賊だ。

しかしレベル6に収監されていたというだけで、どれほど危険かは察せられた。なにしろバギー自身はレベル1《ワン》の雑居房《ざつきょぼう》の囚人だったから。

「……それに！」驚いたバギーが放りだしてしまった双眼鏡をキャッチすると、Mr.3はレンズをのぞいた。「巨魚人《ウオータン》と戦っているのは〈麦わら〉と〈海賊女帝〉だガネ！」

「〈麦わら〉ァ？　なんで、あいつがこんなところに……？」

首をひねったバギーだったが、手下たちはわきたった。

「キャプテン・バギー！　こりゃァ、チャンスですぜ！」

「…………へ？」

「〈麦わら〉さんはインペルダウンの脱獄仲間！　〈海賊女帝〉は七武海！　あのふたりがいるとなりゃ百人力だ！　ここでバーンディ・ワールドを討ちとって、世界政府への手土産にしやしょう！」

「手土産……」

「そうだ！　船長がワールドを討ちとれば、七武海のなかでも別格あつかいに！」

「別格……？」

バギーは、なんとなくニヤけた。

「そんなに、うまくいくはずがないガネ」

「いや、待て……」バギーは得意のわるだくみをはじめた。「なんで〈麦わら〉がワールドとやりあってるのかは知らねェが……やつは政府と海軍に追われる身。もしワールドを倒したにしたって、ここから逃げるしかねェ……」

ワールドをやっつけるのはルフィにまかせて、手柄《てがら》を、まるっと横どりするのだ。

「待つガネ！　相手はワールド……〈麦わら〉が勝つとはかぎらないガネ！」

「そこよォ……」

バギーはニヤリと笑うと、船べりにのぼった。

「――野郎ども！　わが〈バギー海賊団〉が手配中の〈ワールド海賊団〉と交戦中だと、電伝虫で海軍に連絡しろォ！」

「うぉおおおっ！　伝説を生きる男、キャプテン・バギーが動いたァ！」

手下どもはテンションをあげた。

「海軍に連絡……どういうことだガネ！」

Ｍｒ．３は小声でたずねた。

「まァ聞け……」バギーは耳打ちした。「天竜人の船を沈めたバーンディ・ワールドと、七武海のおれ様が交戦中と聞けば、大将クラスが出ばってくるってもんよ」

「なるほど……！〈麦わら〉が負けて、ヤバくなったら海軍にまかせて……」

「ここからマリンフォードは、そう遠くねェ。海軍は、じき来る。あとは高みの見物ってわけだ……〈麦わら〉ァ！　おれ様のために、せいぜいがんばれ……ギャハハハハハ！」

＊

ギア・セカンド状態のルフィの攻撃で、トゲトゲ棍棒をとり落とすと、セバスチャンは海に飛びこんだ。

「逃げた……？　いや！」

得意の海中で体勢を立てなおした巨魚人《ウォータン》は、手のひらにためた水を投げつけた。

——〝大矢武鮫《おおやぶさめ》〟!


水滴が、散弾となって撃ちだされた。

ルフィとハンコックは攻撃をよける。命中した水滴が、潜水戦艦の外殻をベコベコに凹《へこ》ませた。

宙《ちゅう》に逃げたルフィを、セバスチャンが追撃する。

パンチを受けたルフィは、巨魚人《ウオータン》の腕力でぶっ飛ばされた。

「〝芳香脚《パフューム・フエムル》〟!」

背後をついたハンコックの回し蹴りが敵をとらえたかに見えた、そのとき、

「〝カムフラージュ・エア〟!」

蹴りは空《くう》を切り、セバスチャンの体が消えた。

蜃気楼《しんきろう》のように——だが悪魔の実の能力ではない。

ハンコックは潜水戦艦の甲板で、消えてしまった敵の姿を捜《さが》す。

見えない。

けれども……たしかに、いる。

「ッ!」

ハンコックが敵の気配を察したのと同時に、ルフィが割りこんで身を盾にした。

巨魚人《ウォータン》の見えない怪力パンチをくらって、ルフィは吹き飛ばされた。

それでも、船体に激突しながら立ちあがったルフィを見て、セバスチャンは小さく笑った。

「おれの擬態《ぎたい》を、よく察したな」

セバスチャンは、カメレオンやある種のタコなどが有する、背景に溶けこむ擬態能力を生まれつき持っていたのだ。

すぐれた〝見聞色〟の覇気の使い手なら、たとえ目を閉じていても、相手の位置や強さ、つぎの行動まで読むことができた。だがルフィは覇気の修業中だ。まだ、おおざっぱな気配といったレベルでしか、擬態したセバスチャンをとらえることはできなかった。

「――だが、これで終わりだ……死ねェ!　〝スピン・トルネード〟!」

身を丸めて全身からトゲを立てる。

肉弾トゲボールが、高速回転しながら襲いかかった。

「ギア……サード」

指を噛《か》んだルフィは、息を吹きこんだ。

ゴムの腕が、みるみるふくらんでいく。ルフィのとっておきの技〝骨風船〟だ。

――〝ゴムゴムの巨人の銃《ギガント・ピストル》〟！


巨人族ほども大きくなったゴムゴムの拳がセバスチャンをとらえた。

だが、敵はトゲをまとって猛回転していた。

拳を切り裂《さ》く痛みをこらえながら、それでもルフィは巨人パンチをふり抜いた。

「ぬァあああああっ！」


ドガーン！


ぶっ飛ばされたセバスチャンの巨体が、そのまま司令塔に激突した。

「ううっ……！」

司令塔の窓に激突したセバスチャンの前には、彼の、恐るべき船長が立っていた。

「なんだ、そのザマは……？　何分たったと思っている」

ワールドは眉《まゆ》をひそめた。

窓に血の跡をひきながら、セバスチャンが甲板に落ちていった。

〈海賊女帝〉とゴム人間の小僧を遠目《とおめ》で見ながら、ワールドは電伝虫にむかって命じた。

「ガイラム……おれが出る。船内で、やつらを、おれのところに誘導しろ」

『了解』

電伝虫のむこうで船大工のガイラムが応《こた》えた。

ワールドは、いきなり肩に乗せたビョージャックをつかんで、投げ捨てた。

床に叩きつけられたビョージャックは、痛いというより、なにをされたのかわからず、目を丸くした。

「………？」

「おまえは檻の番でもしとけェ！」

九蛇の帝妹を捕らえた檻を見はっておけと兄に命じたワールドの言葉は、役立たずに命じるような、冷たく情《じょう》のないものだった。

＊

巨大化した拳をひきもどしたルフィは、走りだした。

「行くぞ、ハンコック！」

「………！　はい、あなた！」

何度も名前で呼ばれて、これはもう夫婦同然と乙女の妄想をふくらませたハンコックは、かいがいしくルフィのあとについていく。

「待て……行かせるわけには……！」

甲板に倒れたセバスチャンは、必死だった。

とうに約束の時間はすぎていた。ワールドは幹部であろうと、無様《ぶざま》な敗北を許さない。

よろめきながら立ちあがった巨魚人《ウォータン》に、声が投げられた。

「ホロホロ……！　おまえ、ちょっとカワイイな」

「⁉」

ふり仰ぐと、そこには日傘をさした女が立っていた。

空中に立って。

ヒラヒラのフリルの服にクルクルの巻き毛、人形じみた顔貌《かおかたち》の娘が、腰に手をあててセバスチャンを見ていた。

「わたしの部下になれ……〝ネガティブ特大ホロウ〟！」

すると——娘のまわりにボワッとしたものが浮かびあがる。

ゴースト。

舌を出したイタズラおばけが数体、巨魚人《ウォータン》の体をすり抜けていった。

とたんに、セバスチャンはガクリを膝《ひざ》をついた。さらに両手をついて、

「ど……どうせならアメーバとミジンコのあいだに生まれてくればよかった……！」

生きていることに絶望し、打ちひしがれた否定的マイナスオーラにつつまれた。

「ホロホロ……！」

彼女の名はペローナ。

元・王下七武海のひとりゲッコー・モリアの幹部、スリラーバーク四怪人のひとりだ。別名を〈ゴーストプリンセス〉。カワイイものが大好きで、集めて、それをゾンビに変えてしたがわせていた。

彼女は『ホロホロの実』の能力者、霊体《ゴースト》を自在にあやつる霊体人間だ。〝ネガティブホロウ〟はゴーストにふれた者を強制的に虚《ネガティブ》ろにして、戦闘不能にする技だ。

「ホロホロ！　ホロホロ！　やっぱ、おまえキモい。いらねェや！」

ペローナは、かわいらしい見た目とは裏腹《うらはら》の荒っぽい声をあげた。

うなだれたセバスチャンは、そのまま放置プレイ……のおしおきを受けた。

「ルフィ！」

大蛇のサロメを体に巻きつけたハンコックが、ペローナに気がついた。

ルフィは、ふりかえって空中に立った娘を見た。

「んと……だれだっけ？」

「げっ？」

ルフィに気がついて、ペローナはギョッとした。

スリラーバークにおける〈麦わらの一味〉とモリアの戦いの末《すえ》、ペローナは、なりゆきで「暗くて湿ってて怨念《おんねん》うずまく古城」クライガナ島にたどりついた。その彼女が、なぜ、ここにいるかといえば……。

「思いだせないけど、助けてくれたんなら、ありがとな！」

「お……おまえにお礼をいわれる筋合《すじあ》いなんか、ねェぞ！　これは、たまたま偶然で……

あいつが！　出かけるっていうから、わたしはヒマつぶしについてきただけで……〈麦わら〉！　おまえを助けようなんて……！」

「うわァ！」

そのときだ。〈グローセアデ号〉の甲板に四角い落とし穴があらわれた。

ルフィとハンコックは艦内に落ちていった。

「おまえを助けようなんて、これっぽっちも……って、いねェ〜〜〜！」

今度は自分が放置されてしまったペローナは、ぽかんと立ちつくした。

6

落とし穴にはまったルフィとハンコックは、艦内の廊下で尻もちをついていた。

「どうなってんだ、この船？　いきなり床が抜けたぞ？」

ゴム人間にダメージはないが、ちょっと妙《みょう》な感じだった。わざわざ甲板に落とし穴をしかける潜水艦など、あるだろうか。

「ルフィ……さっきのアレは、だれじゃ」

「ん？」

にらんできたハンコックを見かえすと、ルフィは首をかしげる。

「あの、空飛ぶ娘じゃ！」

「あいつは……えーと、どっかで会った気がするんだけど。なんつったっけかな」

ルフィは記憶があいまいだった。

「ごまかしている……？　はっ！　もしや……これが世《よ》にいう浮気？」

ハンコックは聞きかじりの知識で、勝手に嫉妬《しっと》しはじめた。

ルフィは、もうゴースト娘のことは忘れて、行く手を見た。

やけに入り組んだ、迷路のような通路がつづいていた。

「どっちに行けばいいんだ……？」

＊

双眼鏡でワールドの船を観察していたバギーは、首をかしげた。

「なんだ、あの、オバケ娘は……どっから、わいてきやがった」

潜水戦艦をはなれていく娘――ペローナは、海をわたって一艘《そう》の小舟に乗り移った。

「え～～～～!?」

Ｍｒ．３が声をあげた。

「おいおいおい！　なんで、あいつがここに！」

バギーも驚く。ペローナが乗り移った小舟には、あの男がいたのだ。

「知らんガネ！　あ、いや……わたしたちとおなじで、世界政府に召集されたんだガネ」

「あ〜〜！　それだ！　……って、まさか！　あいつ、先にワールドを倒して、自分の手柄にしようってんじゃ！」

「そんなことをされたら、計画がだいなしになってしまうガネ！」

鳶《とんび》に油揚《あぶらあ》げをなんとやらだ。

「頂上戦争のときも、やつは妙に律儀《りちぎ》に戦っていた……そうにちがいねェ！」

「こうなれば！　なんとしても、わたしたちが先に爪痕《つめあと》を残すしかないガネ！」

「爪痕？」Ｍｒ．３の言葉に、バギーは、またまた、わるだくみをはたらかせた。「そうだ……おい、野郎ども！」

「へい！　キャプテン・バギー！」

「〈海賊女帝〉につづいて百人力の助太刀《すけだち》も来た！　おれたちも敵艦に乗りこむぞ！」

＊

小舟にもどったペローナは、船底でくつろいでいた舟の持ち主に声を投げた。

「おい！　あそこに〈麦わら〉がいたぞ！　どういうわけだ！」

「……さァな」

黒い長剣を背にした剣士が、鋭い眼光をかえす。

〈鷹《たか》の目《め》〉のミホーク。説明は不要だろう。世界最強と名高い剣士、王下七武海だ。

ペローナが迷いこんだ「暗くて湿ってて怨念うずまく古城」クライガナ島は、彼、ジュラキュール・ミホークが根城《ねじろ》とする場所だった。

そして〈麦わらの一味〉のロロノア・ゾロが、バーソロミュー・くまによって飛ばされた先も、おなじクライガナ島だった。いま、ゾロはミホークの島にいた。そのことをルフィは、まだ知らない。

7

ルフィとハンコックは〈グローセアデ号〉の内部を走った。

やはり、この船は変だった。通路は迷路のようで、侵入者を迷わすためだけに作られていた。

やっと、ひらけた場所に出た。

円形のホールだ。通路は、さらに、いくつもの方向に分かれている。

「なんだ、ここ……」

「考えていてもしかたがない。ルフィ、こっちへ」

ハンコックが分かれ道のひとつに駆けこむ。ルフィは、あとを追った。


ガガガッ！


あっ、と思ったときには、ルフィの前に天井《てんじょう》が落ちてきて、通路をふさいでいた。

ふたりは分断されてしまった。

「ルフィ！　無事か！」

壁のむこうから、ハンコックの声が届く。

そのときルフィは、落ちてきた天井——立方体に切りとられた船体の一部の上に立っていた男と、にらみあっていた。

「バロロロ……！　女帝をつぶすところだった」

バーンディ・ワールドだった。

なにがどうなっているのかわからないが、どうやらワールドは、この潜水戦艦のなかを、通路をつかわず自由に穴をあけて移動できるようだ。

「ハンコック！　先に、妹たちのところへ行け！」

ルフィは壁のむこうに叫んだ。

「じゃが……」

「いいから！　行け！」

「！　わかった……！　くれぐれも気をつけるのじゃぞ！」

ハンコックの気配が遠ざかっていく。

『──ワールド！　気をつけい！』

くぐもった声が聞こえた。ワールドが持っていた電伝虫への通信だ。

『そやつを、なめてかかるのは危険じゃ！』司令塔にいるワールドの兄、ビョージャックからの通信だった。『その小僧は、先だって兄ポートガス・D・エースを助けるために、海軍本部に乗りこみ大立ちまわりを演じた海賊！　モンキー・D・ルフィだ！』

「モンキー・D……」

その苗字《みょうじ》の響きに、ワールドは覚えがあった。

『海軍の！　ガープの孫だ！』

「！　あのゲンコツ野郎か……！」

　ワールドは顔をゆがめた。

　三十年あまり前の時代——海軍には大将〈黒腕〉のゼファーをはじめ、センゴク、ガープといった、海賊にとってやっかいな将校たちがそろっていた。ビョージャックの話では、先の頂上戦争までセンゴクは元帥、ガープは中将として現役の第一線にいたという。

「……こんな小僧に、あのセンゴクが仕切る海軍本部が、かきまわされたというのか」

「！」

「で……小僧。その兄貴は助けられたのか？」

　ニヤリと見おろしたワールドに、ルフィは、いいかえすことができなかった。

　ルフィは、エースを救えなかった。

そればかりか兄に命を救われた。

「――だろうな」ルフィの反応から察したワールドは、笑った。「おまえ程度のチカラでは、だれも助け……」

「黙れェ！」

ルフィは怒り、ワールドに挑みかかった。

ゴムゴムの拳がのびる。ワールドは跳んでかわすと、逆にルフィを蹴りかえして、そのままホールに着地した。

「〝ゴムゴムの銃乱打《ガトリング》〟！」

ルフィは、ゴムパンチのラッシュを雨あられと浴びせた。

だが、これも余裕をもってかわすと、ワールドはルフィの顔面にカウンターパンチを見舞った。

ルフィはゴムまりになって、はずんだ。

「──〝ギア・セカンド〟」立ちあがったルフィは、両脚のゴムポンプで全身の血流を加速させた。「〝JET銃乱打《ジェット・ガトリング》〟！」

先ほどの倍以上の速度と、倍以上の手数。

だが、それでも──ワールドはかまえもしないままパンチをかわして、さらにルフィに近づいた。

ルフィにとっては悪夢のようだ。〝JET銃乱打《ジェット・ガトリング》〟は、いまのルフィに打てる最速の連打だ。それがハエでもとまっているのかと、いわんばかりに……！


ズドッ！


〝武装色〟で硬化《こうか》された黒い拳が、ルフィのどてっ腹をえぐった。

ゴムの体は防御の役に立たず、壁にめりこんだルフィは生身《なまみ》にダメージを受けた。

ダウンすら許されない。めった打ちになり、ボールのように蹴られたルフィは、壁を突き破って、となりの部屋までぶっ飛ばされた。

「ううっ……！」

「まだ、くたばらねェか」

そこは武器庫だった。

ワールドは剣、槍《やり》、武器という武器を倒れたルフィの前に投げた。

「──好きな武器をつかえ。おれに勝てるかもしれねェぜ」

「………!」

荒い息をつきながら、ルフィは武器を払いのけて立ちあがった。

「バロロロ……! プライドだけは一人前の──」

身がまえたルフィが、ふたたび蒸気をまとった瞬間、

──〝JET銃《ジェット・ピストル》〟!


黒い拳──〝武装色〟の覇気をまとったゴムゴムの加速パンチが、空を切り裂き、ワールドの頰にひとすじの血の跡を刻《きざ》んだ。

「出た……!」

ルフィは手ごたえをつかむ。

ワールドは、ヒゲにたれてきた血をペロッとなめた。

「いい気になるなよ……! 覇気も満足につかえねェ小僧が……! そんなだから! そ

の程度のチカラしかねェから、兄貴ひとり助けられねェ！」

「！」

「見せてやろう……！　多少スピードを増そうと……おれをとらえることはできない！」

ワールドは無造作《むぞうさ》に、手のひらほどの大きさのなにかを数個、放りあげた。

十字手裏剣《しゅりけん》。


――〝モアモア十倍速〟！


ワールドの巨体が消えた。

人間の目では追いきれないスピードだ。ルフィが見たのは、そこにいたはずのワールドの、残像《ざんぞう》のような影《かげ》だけだった。

衝撃がルフィの腹を打った。

ボディへの一撃で、ルフィは宙を舞う。天井に激突するかというとき、そこにはもう、ワールドが待ちかまえていた。

『モアモアの実』の能力は、大きさと速度を最大百倍まで増す。

光の速度で移動でもしないかぎり、ワールドをとらえることはできないのだ。

打ちあげられたルフィの背中を、ワールドが叩きつける。上に下に。ルフィの体は翻弄《ほんろう》された。床に激突する前に、十倍速で移動したワールドがルフィを横から殴りつけた。

一撃、もう一撃——そうしてワールドは、さっき放りあげた十字手裏剣が床に落ちる前にキャッチすると、それらをルフィの手首足首めがけて投げつけた。

ダダダダンッ！

四肢《しし》に十字手裏剣を打ちこまれて、ルフィは床に磔にされた。

そして、とどめ——身動きができず、意識の飛びかけたルフィを、硬化した〝武装色〟の黒い拳が殴りつけた。

「…………ッ！」

ルフィは、それきり動かず……悲鳴《ひめい》をあげることもなかった。

「小僧……なんで、おめェが〈海賊女帝〉のおともをしているのかは知らねェが……ひとつ教えてやる」

——おまえのチカラじゃ、だれも助けられねェ。

ワールドは笑った。そしてハンコックをしとめるために、その場を立ち去った。

＊

激しい戦いの様子を、艦内の通路の陰から、じいっと見ていた一団がいた。

「〈麦わら〉……」

「やつが、あんなに一方的に……！」

バギーとＭｒ．３はビビリまくっていた。

〈鷹の目〉に手柄を奪われまいと、せめてワールドへの第一撃をくらわすべく、敵艦に乗りこんだバギーたちだったが、ワールドの能力に圧倒された。

「——どうするのカネ！」

「こうもあっさり〈麦わら〉がやられたんじゃ、おれ様の計画が水の泡……バカ野郎！　なにしてやがる！　早く〈麦わら〉を治療するんだ！」

バギーは手下に命じた。

ルフィがワールドに、せめてダメージのひとつでもあたえなくては、バギーは、自分が最初の爪痕を刻んだのだとミホークに主張できなくなる。

「キャプテン・バギー！」

ところが部下たちは、かんちがいをした。

「あんた……！　なんて仲間想《おも》いな人なんだ！」

「王下七武海になったいま、〈麦わら〉さんを捕らえて海軍にひきわたせば、ワールドとおなじか、それ以上の大手柄だっていうのに！」

「たとえ袂《たもと》を分かっても……！　いっしょに脱獄した仲間は、裏切れねェよ！」

「バギー船長！　おれたち、あんたに一生ついていくぜ！」

手下どもはバギーの心意気に、ほれなおした。

「おまえら、本当にそれでいいのカネ……？」

第三幕

九蛇の蛇姫

1

三十年前。

罠《わな》にはまったバーンディ・ワールドと一味は、海軍と海賊の大艦隊《だいかんたい》に包囲《ほうい》された。

「ガープ！　センゴク！」若きワールドは、海軍の旗艦に声を飛ばした。「おまえら、どういうつもりだ！」

無法《むほう》の海賊稼業だ。覚悟ある海賊であれば、「卑怯者《ひきょうもの》」などという女々《めめ》しい言葉はつかわない。ただ、ワールドは失望したのだ。絶対的正義を掲《かか》げる海軍が、その信念をまげて、彼に恨《うら》みを持つ弱っちい海賊どもを味方につけ、徒党を組んで襲ってくるとは。

見さげはてた、と。

「ワールドめ、いわせておけば……！」

卑怯者呼ばわりをされて、ガープは歯噛《が》みした。

「たしかに、やつのいうとおりかもしれん」

センゴクは自嘲《じちょう》的につぶやく。

これは海軍本部主導の作戦ではなかった。計画を練《ね》ったのは世界政府だ。

ズンッ――

ワールドの船は集中砲撃を浴びた。

「どうするんだ、ワールド！」

若きビョージャックは叫んだ。

「変わらねェよ……！　おれたちの行く手を阻《はば》むやつらは……すべてつぶす！　なァ、おまえら」

船長の言葉に、ナイチン、ガイラム、セバスチャンはうなずいた。


海軍、海賊の連合軍は苦戦を強いられた。

ワールドの『モアモアの実』は、銃弾を砲弾に、砲弾を、一撃で船を沈める隕石《いんせき》へと変える。投げつけたひと握《にぎ》りの砂つぶてが、数十人を薙《な》ぎ倒《たお》す弾幕と化すのだ。

「おれに行かせろ！　あいつとサシで勝負をつけてやる！」

血気《けっき》盛んなガープが敵船に乗りこもうとしたとき、

「その必要はない」

冷たい声が浴びせられた。

立っていたのは、戦場には場ちがいな黒いスーツの男だった。

「なぜ、サイファーポールがここに……？」

「問題は、じきに解決する」

ハットとサングラスの下で、細面《ほそおもて》の男は薄笑《うすわら》いを浮かべた。


――


あれほど、ひっきりなしだった砲声がやんだ。

「ん……？　どうした！　なぜ砲撃をやめる？」

ワールドが不審《ふしん》げにふりかえった。


ダダダダダダンッ！

数十の銃声が、かさなった。

ワールドの動きが、とまる。

表情は固まり、ジワリと顔に脂汗《あぶらあせ》が浮かんだ。〈世界の破壊者〉の胸、腹、いたるところから血がにじみだした。

「あんたたち……どういうつもりダスか！」

「………！」

ナイチンとガイラムが、ワールドをかばう位置に立った。

背後から船長を撃ったのは、なんと、手下どもだった。

「世界政府を相手にするなんて……ムリに決まってるじゃねェか！」

「もう、あんたのメチャクチャには、ついていけねェよ！」

「いま、あんたを捕《と》らえて投降すれば、おれたちの罪は問われねェって！」

手下どもは銃をむけたまま叫んだ。

声はふるえていた。バーンディ・ワールドは、その荒々しさから、敵よりも味方に恐れられていた海賊だった。

「だれが、そんなことを……！」

「世界政府に買収されたか！」

ナイチンとガイラムが手下どもを質《ただ》す。

「？　だって、あんたたち幹部も、裏切る約束をしたって聞いたぞ……！」

「まさか……！　そんな口車に乗ったのか！」

ビョージャックは言葉もない。

そんな、でまかせを信じて……。

けれども手下どもに、そんな根も葉もない話を信じさせたのは、ワールド自身でもあった。いきすぎた恐怖による支配が、手下どもに、まともな判断を許さなかったのだ。

彼らは、ただ、この恐ろしい海賊旗をおろして、この船から逃げたかったのだ。

いきなり、ビョージャックは弟の肩からふりおとされた。

「ワールド……？」

「うォおおおおおおおおおっ………！」

咆哮《ほうこう》。

傷をものともせず、ワールドは裏切り者たちに襲いかかった。


サイファーポールは世界政府の諜報《ちょうほう》機関だ。政府の指令により、あらゆる情報を調べ、工作をおこなう。いわゆるスパイだ。

双眼鏡をのぞいていたサイファーポールの長官は、ワールドの船の甲板《かんぱん》で起きていることとをたしかめると、センゴクとガープをふりかえり、薄笑いを浮かべた。

センゴクは苦渋《くじゅう》の表情で総攻撃を命じる。

ワールドの船からの反撃はなくなっていた。なぜなら——


血だらけになって倒れた手下どもに囲《かこ》まれて、ワールドは甲板に座りこんでいた。

砲撃によって、船は沈没《ちんぼつ》寸前だ。

浸水《しんすい》によって船は傾《かし》ぎ、海賊旗を掲げたマストと帆《ほ》は燃えている。

「おまえら……おれについてくるんじゃ、なかったのかよ……！」

拳《こぶし》を血で染《そ》めて、吐《は》き捨てる。

怒れるワールドは、数十人いた手下を、みな始末してしまったのだ。

「さすがですね、船長」

「………？」

船室から出てきた三人の男たちを見て、ワールドと幹部たちはとまどった。

見知った顔——手下だった。だが彼らは、海賊のくせに黒いスーツに着替えていた。

「おまえたち……まさか、サイファーポール！」

「いかにも」黒いスーツの男がビョージャックに答えた。「仲間として、しばらくのあいだ楽しくすごさせていただきましたが、これで任務完了です」

銃弾を浴び、手下を殴り倒して憔悴《しょうすい》しきったワールドには、もう、動く気力もなかった。

黒いスーツの男が、そのとき一瞬でワールドの眼前に立った。

〝剃《ソル》〟──〝指銃《シガン》〟！

六式《ろくしき》のひとつ、指一本が銃弾より強力な武器となる技だ。潜入捜査にあたるサイファーポールの諜報員たちは、その身を凶器と変える鍛錬《たんれん》を積んでいた。

胸を〝指銃《シガン》〟で貫かれたワールドは、倒れた。

幹部たちは、あっけにとられる。

〈世界の破壊者〉バーンディ・ワールドが、ドブネズミのようなサイファーポールごときに……！


ズンッ！


さらなる衝撃がワールドの船を襲った。

ビョージャックと幹部たちは、目を見ひらき、息をのんだ。

「あれは、ガープ……！」

次期大将ともいわれる屈強《くっきょう》な海兵が、ひどく不愉快《ふゆかい》そうな顔で、船に乗り移ってきたのだ。

「………」

ガープが、サイファーポールと倒れたワールドを一瞥《いちべつ》する。

ゴリッ、と指を鳴らした。

「逃げろ！　みんな、逃げるんだ！」

ビョージャックが叫んだ。

「だけど、船長が……！」

「ガイラム！　ナイチン！　これじゃあ、ムダ死にだ！　船長代理として、おれが命令する！　生きのびろォ～～～！」

ビョージャックたちだけでは、とても、この圧倒的不利をくつがえすことはできない。

ワールドのチカラを信じるしかなかった。

万一ワールドが捕らわれたときには、自分たちが船長を救いだすのだ。そのためには生きのびなくては。

「船長……すまない！」

「セバスチャン、たのむ！」

幹部たちは海に飛びこんだ。それをセバスチャンが背に乗せて、脱出を図る。サイファーポールたちの銃撃の音。ビョージャックの悲鳴《ひめい》……！

＊

ワールドは瀕死《ひんし》のまま、海底監獄《かんごく》インペルダウンに収監《しゅうかん》された。

冷凍状態になり、意識をとりもどしたのは三十年後だった。つまりワールドにとって、あの戦いは遠い昔のことではなく、記憶のつながりでは、つい先日のことなのだ。

——やつら、裏切りやがった。

ワールドは小さな声でつぶやいた。

「今度こそ、ああはならねェ」

それから電伝虫《でんでんむし》を手にすると、

「ガイラム！　女帝《じょてい》は、いま、どこにいる」

『ナイチンのところに誘導している！』

船大工のガイラムは悪魔の実の能力者、『キュブキュブの実』を食べたキューブ人間だ。

その能力は、どんなものでも立方体《キューブ》にして、積み木のように動かすことができる。

この〈グローセアデ号〉は、彼の能力で造ったキューブの集合体だ。キューブを移動させることで、船内の通路をつなげたり、まげたり、閉ざしたりできる。

「ナイチンか」

『なになに？　その言葉、ワタシが信じられないダスか？』

電伝虫から老婆《ろうば》の声がかえった。

三十年前は五十歳。まだまだ年増《としま》盛りだったナイチンも、いまでは、おばあちゃんだ。

「…………」

『いいでしょう……ならば、かならず女帝を倒して、そっちにつれていくダス！』

2

武器庫。

ワールドの覇気《はき》の拳をくらって、倒れたルフィを手当てする者たちがいた。

「おい！　どうだ」

「血はとまりましたが……」

船医がバギーに応《こた》えた。ルフィは気を失ったまま、うなされていた。

「なにをいってるガネ……？」

Mr.《ミスター》・3《スリー》は聞き耳を立てた。


——もう二度と……あんなめにはあわせたくねェ……！

うわごとは、もちろん仲間たちのことだ。

ルフィは、自分にとっての強くなることの意味を、兄エースを失ったことで、やっと知った。

——なにかを守れる人間になりたい。

そして強くなることの困難さに、いま、ぶつかっている。

うなされつづけるルフィを見て、バギーは、ちょっとイライラしてきた。

「ぬぅううう！　あんなめだか、こんなめだか知らねェが……あいたくねェんなら、しっかりしろ〈麦わら〉ァ！」

いきなり馬乗りになると、バギーは、ルフィに往復ビンタをくらわせはじめた。

＊

〈海賊女帝〉ボア・ハンコックは〈グローセアデ号〉の通路を走っていた。

「みずからの命をなげうって……わらわのために♥　ああ、一瞬でも浮気を疑った自分が恥《は》ずかしい……！」

ルフィが体をはってハンコックを先に行かせたというシチュエーションが、彼女の琴線《きんせん》にふれたようだ。

迷路のような通路を抜けると、部屋につきあたった。

奇妙《きみょう》なところだ。船内なのに樹木が茂《しげ》り、さまざまな草木や菌類が栽培されていた。棚に並んでいるのは、瓶《びん》に入れられた天然の素材——草の根や木の皮、動物の部位や昆虫、海藻、それらを干したもの。

ゴリッ……　ゴリッ……

擂《す》り鉢《ばち》をすっていたシワシワの手がとまった。

「来たね、〈海賊女帝〉」

ダブダブの白衣をまとった、腰のまがったメガネの老婆がふりかえった。

「背中をむけたまま、わらわに話しかけるとは失礼なやつじゃ」

「ヒヒヒ……こんな尻《しり》の青い小娘が王下《おうか》七武《しちぶ》海《かい》とは、世界政府も見る目がないドスなァ」

「………」

「ワタシは〈ワールド海賊団〉の船医ナイチン……〈漢方拳法《かんぽうけんぽう》〉のナイチン」

「知らぬ」ハンコックは長い黒髪をかきあげた。「わらわは先を急いでおる！　妹たちのところに案内せい！」

そこは〈グローセアデ号〉の医療室だった。サンダーソニアとマリーゴールドは司令塔に捕らえられている。

「ビョージャックの情報で、おまえのことは把握《はあく》ずみドス……！　『メロメロの実』を封《ふう》じる、とっておきを見せてやるダス！」

「与太話《よたばなし》に興味なぞ、ない」

ハンコックがいうと、ナイチンは擂り鉢のなかの薬剤を見せつけた。

「漢方拳法秘薬……　〝ドクダミ地獄〟！」

「〝メロメロ甘風《メロウ》〟！」

ハンコックが撃ったハート形の光がナイチンの体をすり抜ける直前、〈漢方拳法〉の女医は、擂り鉢のなかの薬剤を口につっこんだ。

「くぅううう っ……！」

老婆の表情が、たちまち渋《しぶ》くなった。

〝メロメロ甘風《メロウ》〟のセクシービームをスルーしたナイチンは、ぶはっと息をはいた。

「──苦《にが》っ！　がァあああっ！　ハァ、ハァ……『メロメロの実』、敗れたり……！」

「………？」

「この〝ドクダミ地獄〟は、にっがーい薬草ばかりを数百種類もまぜあわせた、激ニガの漢方薬なんドス！　これで邪心《じゃしん》を打ち払い、おまえのメロメロを封じたんダスよ！」

ナイチンは自慢タラタラに語った。

「………」

「つぎは、こっちの番ドス！」

ジャンプ！

身体能力は老婆のそれではなかった。高々と跳《と》んだナイチンは、瓶の飲み薬を一気にあおった。

「〝漢方毒霧《どくぎり》〟！」

色のついた霧をはきだす。ハンコックは、とっさに腕でかばった。

「なんじゃ……これは！」

霧にふれたとたん、ハンコックが身につけたドレスが、みるみる溶けはじめたのだ。

「恥ずかしさで動けまい」

ナイチンは白衣の袖《そで》からとっておきの秘薬をとりだすと、飲みくだした。

——〝漢方拳法——秘薬・高麗新人《こうらいしんじん》〟！

ダブダブの白衣の下で、劇的な変化が生《しょう》じる。

あまっていた袖から、腕がのびて、きれいな指先があらわれた。

ひきずっていた裾《すそ》からは、すらりとのびた長い美脚が。

ボンキュッボンで、ぱっつんぱっつんのナイスバディがあらわれた。キュッとしたお尻をふって、ナイチンは、シワひとつない若さをとりもどした。

「齢《よわい》八十のワタシも、若がえりの漢方で、このとおりドス！」

「ふん……」

溶けかけた服を押さえると、〈海賊女帝〉は自分とおなじ年頃になった敵を見かえす。

「覚悟するダス……！　漢方拳法奥義〝葛根《かっこん》トゥキック！〟」

踏《ふ》みこみから、銃撃のように鋭い爪先蹴り《トゥキック》。

ハンコックは受けずに、かわす。さらに連続蹴《げ》りが——

「！」

中段蹴りをいなされたナイチンは、バランスを崩した。

大きく跳んで、医療室の上にあがる階段に着地したハンコックを、美人女医――ナイチンが追撃する。

――〝冬虫夏《とうちゅうか》ソウル・ショット〟！

強烈《きょうれつ》な正拳突《せいけんづ》きが、階段の手すりを破壊する。

そのときハンコックは、もう吹き抜けになった二階の張出通路に移動していた。

「どうドス……？　これが漢方と拳法を融合《ゆうごう》した〝漢方拳法〟！　かつて〝漢方拳法〟のマドンナと呼ばれた、このナイチン！　技も、魅力《みりょく》も、負けてはおらん！」

八十歳の老婆は、若がえった肉体を誇《ほこ》らしく見せつけた。

ハンコックは淡々《たんたん》とナイチンを見ていたが、やがて、おもむろに唇《くちびる》に指をそえた。

「わらわの願い、聞いてはくれぬか」

頬《ほお》を赤らめて、甘えた感じで指先で唇をなぞる。

「…………?」

「その、うるさい口を閉じてほしい」

ズキュン♥

「!!!」

とたんにナイチンは瞳《ひとみ》にハートマークを浮かべた。

『メロメロの実』の能力は、たとえ同性であっても相手の心を射抜《いぬ》くのだ。

はっ、と、われにかえったナイチンは、ぶ

るぶると首をふった。

　あわててテーブルにもどると、擂り鉢の中身を口に流しこむ。苦い苦い〝ドクダミ地獄〟だ。

「苦ァあっ！　はァ、はァ……まるで女神！　いいや、恐ろしい女ダス！　だが！」

　正気をとりもどしたナイチンは、階段を駆けあがってハンコックに襲いかかった。

「──しかし！」

「！」

　きゅん♥

　愛くるしい仔犬《こいぬ》のような〈海賊女帝〉の表情をむけられたとき、ナイチンは、さっき飲んだ〝ドクダミ地獄〟の味など忘れてしまった。

「何度！　やっても！　ワタシには！　メロメロは！　効かないドス！」

　そういいながら、ナイチンは顔を赤らめ、まともにハンコックを見ることもできない。

　ハンコックは、ふたたびフロアに降りた。

　ナイチンは目を閉じて追撃する。

「〝冬虫夏ソウル・ショット・バースト〟……！」

ぺしっ

体ごとハンコックに襲いかかったナイチンの横《よこ》っ面《つら》を、なにかが激しく叩《たた》いた。

大蛇のサロメの尻尾《しっぽ》だ。

「き……きたないダスよ！」

「そんなァ」

困り顔のハンコックを見て、ナイチンは、また顔を真っ赤にしてテレてしまった。

もう一度、擂り鉢の〝ドクダミ地獄〟を犬みたいにがっつく。

「うぷっ……！」

「そなた、顔色がわるいようじゃが……？」

「！」

むせながら、ふりかえったナイチンにむかって、ハンコックが声を投げた。

「わらわに見惚《みと》れ、身を硬《かた》くするのは、いわば自然の摂理《せつり》……やむなきこと。なぜならば、それほどまでにわらわは……美しいいいいから！」

ナイチンを指でさすと、ハンコックはサロメの上でエビぞりになった。

「見くだしすぎて……逆に見あげてるダス！」

ナイチンはタジタジだ。

戦おうとしても、ハンコックを視界に入れるたびに、可憐《かれん》さに戦意をそがれてしまう。

そして〝ドクダミ地獄〟の薬草の食べすぎで、むかつき、胃の痛み、吐き気、その他の症状が出て、ナイチンは体調がわるくなってしまった。

「そもそも……！　ワタシは女の貴様《きさま》になど、これっぽちも興味はないんダスよ！　ワタシは！　根っからの！　男好き……うぷっ！」

このままでは吐いてしまう。冷や汗ダラダラになったナイチンは勝負をあせった。

「――ここで死ぬダス、〈海賊女帝〉！」

「わらわ、怖い！」

「♥♥♥！」

ハンコックの美貌《びぼう》は、たとえ女同士だろうと相手を圧倒するのだ。

下をむけば吐き気が。上をむけば『メロメロの実』の能力者が。

ナイチンは八方《はっぽう》ふさがりになった。

ずれてしまったメガネの奥から、ナイチンは、チラリとハンコックを盗み見た。

「………」

「つぷ♥！！！！」

、、、、、、、、、、、

×××××××××××…………！

耐《た》えきれず、とうとう漢方薬を吐きだしたナイチンは、あっという間に八十歳の老婆にもどってしまった。

「う……美しい……！」

メガネのレンズが割れる。

瞳にハートマークを浮かべたナイチンは、ついに『メロメロの実』の能力で石化してしまったのだった。

「男……女……？　わらわの美しさをさまたげるものなど、存在するものか」

石化した敵を一瞥すると、ハンコックはサロメをともなって先を急いだ。

＊

〈グローセアデ号〉の武器庫で、バギーは、意識を失ったルフィをビンタしつづけていた。

「いつまで寝てんだァ！　〈麦わら〉ァ……！」

ゴムの顔をはりつづける。
ルフィは、まだ、うなされていた。

——おまえのチカラじゃ、だれも助けられねェ。

海賊王をめざす少年がぶちあたった、数々の壁。

——ルフィ……キミはこの島で二年間、修業をするという約束だ。

もう一度、仲間と会うためだ。仲間を守れる男になるためだ。

——おまえは、おれの仲間だ！

いつだって、海に誘ったのはルフィだった気がする。
みんながくれた言葉を、さらけだした心の声を。
信念を掲げるのは海賊旗。

麦わら帽子のドクロが、はためくところ。ルフィがいるところが、仲間たちのよりどころだ。

強く、なければ。

海賊王になると、ふたたび世界にむかって叫べるほど。

なのに、ルフィは弱い。

自分を疑うことを知らずにいつづけるには、ルフィは少しだけ成長してしまった。

だから、強くなるしかなかった。

自分を証《あか》すしかなかった。

その強くなりたいという気持ちを、つぶすも、生かすも。

のるか、そるかは……。

——生きて、もどってこい。

兄を失った絶望のなかでも、思い浮かぶ人たちがいるから。

レイリー……あこがれの海賊王の副船長が、いま、踏みだそうとするルフィに手をさしのべてくれている。

これは幼い日の自分からの、支えあってきた仲間たちからの。

この奇蹟《きせき》は、贈り物だ。


大切なものを守るために、人は強くなれる。

このまま失いつづけるか、とりもどすか、道はふたつ。可能性《ミライ》をつぶすも生かすも自分次第だ。覚悟が人の生き様をさだめることを、とっくにルフィは知っていた。

そうだ……まだ七歳かそこらだったころ。

故郷《こきょう》のゴア王国の森と、ゴミ山での暮らしからはじまった、エースとの信念の冒険は。

幼いころの自分の覚悟を、いま、生かすも殺すも。


「――ワールドを倒すんだろ！　早く起きろォ、このっ！　忘れたのか、クソ麦！　あのローグタウンの処刑台で、おれは、おまえを……その首、いつでも斬《き》りおとせたんだコラァ！　往生際《おうじょうぎわ》の悪《わり》ィてめェが、こんなときだけオネンネか！」

新七武海として世界政府に顔を売るためには、ルフィに、ワールドを倒してもらうしかない。早くしないと〈鷹《たか》の目《め》〉に手柄《てがら》を持っていかれてしまう。バギーの頭のなかは、そのことでいっぱいだった。

「！」

「ひっ⁉」

いきなりルフィの腕がのびて、バギーの手首をつかんだ。

「だれも助けられねェとか、どうとか……」


やってみなけりゃ、わからねェだろうが！


「ひィ！」

ルフィの迫力をまともに浴びて、バギーは、ひっくりかえって尻もちをついた。

「ハァ……ハァ……あいつは、どこだ！」

なぜ、そこにバギー一味がいるのか。そんなことをルフィは訊かなかった。

いま彼の目の前にあるのは壁——打《う》ち砕《くだ》き、越えるべき壁。

「あ、ワールドなら、あっちに……」

「絶対に！　おれが、ぶっ倒す！　うォおおお！　どこだ、ワールド！」

ルフィは脇目《わきめ》もふらずにワールドを追いかけた。

「だ……だいじょうぶカネ？」

Ｍｒ．３がバギーを見た。

バギーは、痛めた腰をさすりながら、

「け……計画どおり」

「おおおおおおおおおおお！　計画どおりだ！」

部下たちはキャプテン・バギーの知略に感動した。

「絶対にウソだがね」

Ｍｒ．３がつぶやいた。

「それだけじゃねェ、キャプテン・バギー！　あんた、〈麦わら〉さんと戦ってたのか！」

「しかも、勝ったって！」……………

バギーが、ローグタウンでルフィの首をとりかけたのは、ウソではない。あとにも先にも、ルフィに笑って死を覚悟させたのは〈道化《どうけ》〉のバギーだけだった。

3

ルフィは走った。

ワールドを捜《さが》して。ところが走れど走れど、もとの場所にもどってしまった。

困った様子《ようす》で分かれ道に立っている〈麦わら〉のルフィを、司令塔のビョージャックは電伝虫の映像でたしかめていた。

「あの小僧、まだ生きておったのか」

『ガイラララ……！　おれがやっちまっていいだろ？』

「ガイラム？」

ビョージャックが別のモニタを見ると、船大工のガイラムが映《うつ》っていた。

『〈麦わら〉は、おれが作った罠のなかだ』

「……〈道化〉のバギーも艦内に潜入しているようだ。やつは四皇《よんこう》〈赤髪《あかがみ》〉の兄弟分……気をつけるんじゃぞ。ナイチンは、すでに〈海賊女帝〉に……」

『まとめて面倒《めんどう》見てやるさ』

ガイラムは手を機関室の壁にあてた。

――〃キュー・ブレイク〃！

壁にあてた手のまわりから、格子《こうし》状に光のラインが走った。

＊

『キュブキュブの実』のキューブ人間は、あらゆるものを立方体《キューブ》に変える。艦内の構造をパズルを組むように変化させることができた。

ガタン！　ガタン！　ガタン！　ガタン！　ガタン！　ガタン！　ガタン！

「うわァ～～～～！」

しばらくして機関室に飛びこんできたのは、ゴムボールみたいに跳《は》ねたルフィだった。

「ガイララ……！　おれはガイラム。『キュブキュブの実』のキューブ人間……どんなものでも四角く切りとることができる」

背にした巨大ハンマーをかまえると、ガイラムは床を叩きつけた。

ガコン！

一辺一メートルほどのキューブ状になった床が、ポコポコと、いくつもせりあがる。それらが垂直の台となって積みあがっていく。

ルフィは、とっさに上昇するキューブをつかんだ。

「！」

だが、キューブの台の上ではガイラムが待ちかまえていた。

ハンマーの一撃で、ルフィは床に叩きおとされた。

「〈麦わら〉……！　おまえをワールド船長のところには行かせねェ」

キューブの台の上で、ガイラムは手を床につけた。

――〝キュー・ブースター〟！

するとキューブが、さらに小さなキューブに分解していく。

一辺十センチほどに分解された数千ものキューブが、弾丸の速度でルフィに襲いかかった。

ルフィはゴムの腕と脚《あし》でガードする。

キューブの砲弾は、ゴム人間のルフィには効かない。ただ、このままではキューブの勢いに押されて、はじきだされてしまう。

ルフィは一気にガイラムとの間合いを詰《つ》めた。

「バカめ」

だが、それがガイラムの狙《ねら》いだった。『キュブキュブの実』の能力者は、足もとの特大キューブを、むかってきたルフィにぶつけた。

「ぐっ⁉」

押しもどされたルフィは、壁と特大キューブのあいだでサンドイッチになった。ダメージはないが身動きがとれない。そこに〝キュー・ブースター〟の小さなキューブが、横殴りの雨となって降《ふ》りそそいだ。


ガスンッ！

最後にハンマーの一撃——ルフィの姿は、とうとうキューブに塗《ぬ》りこめられて見えなくなった。

壁は、もとのように平らにならされてしまった。

「ガイラララ！　他愛《たあい》もない。そこで一生《いっしょう》、つぶれていろ」

すべてのキューブが、もとの位置にもどっていく。

そのとき、機関室の扉のむこうから、大勢の声が聞こえてきた。

「――ギャハハハ！　あのやる気なら、クソ〈麦わら〉の野郎《やろう》、いまごろワールドをぶっ飛ばしているだろうぜ！」


突然、通路にあらわれたガイラムを見て、侵入者《しんにゅうしゃ》たちはギョッとした。

「待ちな！　おまえらバギーの一味だな……？　なに許可なく、おれたちの船に入りこんできてんだ」

ガイラムが、バギーたちにケンカを売った。

「ゲゲ？」

「なんかヤバそうなのに見つかったガネ！」

緊張感なく歩いていたバギーとMr．3の顔が青ざめた。

ガイラムが廊下の壁に手をあてた。

「〝キュー・ブースター〟！」

壁がキューブに分解されて、バギーと一味に襲いかかった。

「これは……！　悪魔の実の能力だガネ！」

「そんなもん、見りゃわかる！　どうすりゃ……！　んん？」

Ｍｒ．３とバギーは、そのとき妙なものに気がついた。

ひらひら、と。

ガイラムがキューブをとりだした壁の奥から、紙っぺらのようなものが、はらり、はらりと床に落ちた。

ボヨン！

紙っぺらに厚みがもどった。なんと、ルフィだった。

機関室の壁に塗りこめられたルフィは、その裏側の通路の壁がキューブになってはがされたことで、運よく外にでられたのだ。

「ぶはァ！　はァ、はァ……死ぬかと思った」

「〈麦わら〉？」

「どんなところから出てくるんだガネ！」

事情を知らないバギーとＭｒ．３は、あぜんとした。

「ゴムだから！」

ルフィは胸をはった。

ゴム人間に打撃銃撃はつうじない。キューブにつぶされても死ぬことはない。もっとも息ができないままでは、窒息《ちっそく》していただろうが。

「って、おい〈麦わら〉！　なんで、まだ、こんなところでウロウロしてんだ！」

「しかたねェだろ、道がわからねェんだから！」

ルフィはバギーたちをふりかえった。

「さっき、えらそうに啖呵《たんか》をきったのは、どこのどいつだ！　モタモタしてねェで、さっさとワールドを倒しに行け！　でないと、おれ様の計画が……！」

「さすが、キャプテン・バギー！」

手下たちが、また尊敬とあこがれの視線をバギーにむけた。

「さっきは〈麦わら〉の傷をなおし、折れかけた心に発破《はっぱ》をかけて……さらにまた、敵を前にして『コイツはまかせろ、おまえは先に進め』と……！」

「筋《すじ》を通して……アンタ、やっぱりデケェ海賊だよ！」

バギーの支持率は、限界知らずのうなぎのぼりだ。

「結果オーライにもほどがあるガネ」

そんなMr．3も、バギーの強運には拍手を送るしかない。だから彼はバギーと同行することにしたのかもしれなかった。

「キャプテン・バギー！　おれァ、あんたの船に乗れて、幸せだ！」

「おれたちの命！　あんたのロマンに賭《か》けるよ！」

バギー！　バギー！

喝采《かっさい》のコールが起こった。

「おい……どうする」

「流れに身をまかせるしかか」

〝東の海《イーストブルー》〟時代からバギーについてきた副船長の〈猛獣使い《もうじゅう》〉モージと、参謀長《さんぼうちょう》の〈曲芸《きょくげい》〉のカバジは、バギーへの過大評価にとまどいながらも、自分たちより数段強いインペルダウンの脱獄囚《だつごくしゅう》あがりどもに、いまさら、それはかんちがいだとはいいだせなかった。

「で、どうするのカネ？」

Mr．3が小声でたずねた。この状況を、どう治める気だ。

「そうか……こいつらインペルダウンじゃ、おれよりも懸賞金の高いやつらばかりだった……！」

レベル1《ワン》の囚人だったバギーの懸賞金は一五〇〇万ベリー。囚人あがりの手下どもは、みな数千万クラス以上の賞金首ばかりだ。

「――しかし、いまじゃ、すべておれの部下だ」

船長と幹部はともかく、兵隊どものひとりひとりが数千万クラスというのは、いまだかつてない強力な海賊団ではないか。

「すなわち！　おれは、もうすでに押しも押されもせぬ大海賊！　〈ワールド海賊団〉なんて小物に負けようはずがねェじゃねェか……！　おい〈麦わら〉！」

「？」

「ここは、おれにまかせてワールドをぶち倒してこい！　なァに、心配なんかミジンコほどもいらねェ。いまや伝説の海賊となったおれに、ちびっと手を借りたからって、いいふらしたりはしねェ！　ギャハハ！　死ぬまで感謝しやがれ！」

「いいのか……？」

「おれ様に恥をかかせる気か！　とっとと行けっつってんだろ、クソ麦！」

「わかった、じゃ、ありがとなバギー！」

ルフィは手をふって、ごくあっさりと先に進んだ。

すっかり調子に乗ったバギーは、笑ってルフィを見送った。

Ｍｒ．３は、わるい予感しかしなかった。バギーの実力をいちばんよく知っているモージとカバジは、ちょっと絶望的な表情だ。

「王下七武海のバギー……どれだけ強いのか。まァいい……侵入者は、だれであろうと排《はい》除《じょ》しないとな。キューブ人間の真骨頂《しんこっちょう》を見せてやる！」

ガイラムはハンマーを背中にもどした。

右手を、そして左手を広げる。

すると、なにもない空間に切れ目が生じた。ガイラムはキューブ状に切りとった空間を圧縮《あっしゅく》する。

「空気を……固めた？」

「〝エア・キュー・ブースター〟！」

見えない圧縮空気の弾丸が、撃ちだされた。

――〝キャンドル壁《ウオール》〟！

突然、通路に出現した白い壁が、圧縮空気の弾丸をはじいた。

Ｍｒ．３だ。『ドルドルの実』の蠟燭《ろうそく》人間である彼は、蠟を自由に作り出すことができる。

彼の蠟は鋼鉄の強度で、簡単に破壊することはできない。

「ここは、逃げるガネ！」

「まかせたぞ！」

バギーたちは、足どめをＭｒ．３にまかせて機関室のなかに逃げこんだ。

「蠟の壁だと……？　そんなもの！」

ふたたびハンマーを握ると、ガイラムはキャンドル壁《ウォール》を打ちつけた。

蠟の壁はキューブに分解されて、そのままハンマーで飛ばされた。

「いいっ！」

自分が作った蠟を浴びて、Ｍｒ．３は倒された。『キュブキュブの実』の分解能力に、強度は関係ない。これは能力の相性《あいしょう》がわるすぎる。

「ガイラララ……！　口ほどにもねェ！」

ガイラムは機関室にもどった。

そこではバギーの一味が右往左往《うおうさおう》していた。

「なんだと！　結局、ここも行きどまりか！」

「逃げ場なんかねェ……よっ！　〝キュー・ブレイク〟！」

ガイラムがバギーの体に手をふれた。


ポンッ！

ヘンテコな音がして、バギーの体は四角いキューブ状になってしまった。

「なァにィ〜〜〜！」

「これで終わりだ！」

ガイラムは、さらにキューブを作ると、キューブバギーを、積みあげたキューブの柱のてっぺんにもっていった。

「いっ！」

「〝トーテム・キューブ〟！」

ハンマーをかついだまま、ガイラムはキューブの柱の下に歩みよった。

「ど……どうするつもりだ！」

「こういうことよ！」

ガコン！

ガイラムはいちばん下のキューブをハンマ

ーで打ち抜いた。だるまおとしだ。

「なぶり殺しにされる気分はどうだ？」

キューブがハンマーで打ち抜かれるたびに、キューブバギーは少しずつ下に落ちてくる。

「ぐぬぬ！」

「もういっちょ！　まだまだァ！」

とうとうキューブバギーは、ハンマーで打つのに、おあつらえむきな高さになった。

「これで終わりだァ！」

「〝バラバラ緊急脱出〟！」

そのときキューブバギーは、四角くなった体を上下に分解した。

バギーは『バラバラの実』の能力者だ。自分の体を、いくつもの部位に分けてバラバラに切りはなすことができる。

ハンマーをやりすごしたバギーは、頭と手だけで空中に舞いあがった。

バラバラになった体の部位は、一定の操作空域内であれば自由に動かして、飛ぶこともできるのだ。

「やつも能力者か……！」

バラバラになったことで、キューブ化させられた体は、すべて、もとにもどっていた。

「集まれ、バラバラパーツ！」

バギーは自分の体に集合をかけた。ところが、

「うっ……な、なにをしとるのカネ……？」

這《は》いつくばって機関室にもどってきた、Ｍｒ．３が見たものは。

「のァあああ？」

バギーは、すっとんきょうな声をあげた。

「ようするに、こうすりゃいいってことだろ！」

バギーの胴体や、ほかの部位を、ガイラムがハンマーで押さえつけていた。

バギーは頭と腕と足だけの、二頭身以下の姿になってしまったのだ。

「どうするのカネ！」

「あわてるな！　とっておきのアレがある」バギーは足もとをたしかめた。「アレだけは、もう二度とつかうまいと心に決めていたんだがな。なにせ町の一つや二つ、飛ばしちまうほどの威力……！　おめェたちにも被害がおよぶ」

「おお！　そんな隠《かく》し球《だま》を！」

「さすがキャプテン・バギー！」

手下どもは、どよめいた。

「ああ、マギー玉か。インペルダウンで獄卒獣《ごくそつじゅう》につかったやつだガネ」

Ｍｒ．３は、とんだ期待はずれといった顔をした。

「ハデにバラすな！」

バギーは腹を立てた。

とにかく、それなりの威力はあるし、ハデな爆発が起きる。その隙《すき》に胴体をとりかえして逃げるのだ。

「ゴチャゴチャうるせェ！」いらだったガイラムは圧縮空気の弾を作った。「〝エア・キューブ〟！」

「ふっ飛べ、〝特製マギー玉〟！」

バギーの靴にしこまれた小型爆弾と、圧縮空気の弾が、両者の中央で激突した。


ドゴォオオオオオオオオッン！


機関室はハデな大爆発につつまれた。

たちまち煙が充満し、二、三メートル先も見えなくなった。

ガイラムは、ダメージこそなかったが、あまりの煙の勢いにひるんだ。

「クソッ！　見えねェ！」

気がつくと、バギーの体が見あたらない。ガイラムが〝エア・キューブ〟を撃ったとき、バギーは、ハンマーに押さえられていた胴体その他の部位を、ひきもどしていたのだ。

「おれの船で、なんてことをしやがる！」

いきりたったガイラムの視線の先に、なにかが――

煙のむこうの人影《ひとかげ》に気づいたとき、すでに勝負はついていた。


――〝芳香脚《パフューム・フエムル》〟！


ボア・ハンコックだった。〈海賊女帝〉は、煙のなかからあらわれると、回転蹴りでガイラムの顎《あご》を砕いた。

ガイラムは一発で石化して、くずおれた。

覇気によって気配《けはい》を探《さぐ》れる彼女にとって、煙など、さまたげにならないのだ。

「ボア・ハンコック……！」

「〈海賊女帝〉だガネ……！」

間近にいたバギーとMr．３だけが、九蛇《クジャ》の蛇姫《へびひめ》の姿に気がついた。

「ルフィは、どこじゃ！」

ハンコックは美しくも怒りの表情で、ふたりに質した。

「あちらです」

バギーとMr．3は、にこやかに営業スマイルを浮かべると、ルフィがむかった方向をしめした。

ハンコックは、大蛇のサロメをともなってルフィを追った。

ややあって、煙がようやく晴れてくる。


――ああああああああああっ？


驚きの声があがった。

「敵が……倒れている……？」

手下どもの前で、敵――ガイラムが倒されていたのだ。

「さすが、キャプテン・バギー！」

「おれたちの救世主！」

手下どもは、バギーが敵を倒したと思いこんで、やんやの大騒ぎだ。

「いや、さすがに、これはちがうんじゃ……」

副船長のモージは気がついた。倒れたガイラムは石化していたのだ。

「いいんだよ。ここは、そういうことにしておこうぜ」

参謀長のカバジが、モージに耳打ちをした。

ふたりは手下どもといっしょになってバギーコールをくりかえした。

「ふっ……ぎゃははははは！　計算どおり！　よォし野郎ども、つぎはワールドだ！　ハデに気合い入れていくぜ！」

復活したバギーが叫ぶと、手下どもは気勢《きせい》をあげた。

Ｍｒ．３はゲンナリした。

「いつまで、この茶番つづけるつもりカネ……？」

第四幕

世界の破壊者

1

〈グローセアデ号〉の司令塔。

「なんということじゃ……！」

目もとを押さえると、ビョージャックはため息をついた。

「どうした」

司令塔にもどってきたワールドは、モニタに映《うつ》った電伝虫《でんでんむし》の映像を見て、ムッと表情をこわばらせる。

「――これは、どういうわけだ」

「やられてしまったよ、ナイチンもガイラムも……」

「そんなことは見ればわかる。おれが訊《き》いているのは……おまえたち、おれのいないところで、勝手に、なにをやっているのかということだ」

ワールドは不機嫌そうに顔をひきつらせた。

「ガイラムは……待て、待ってくれ！　彼らは必死で戦っていたんだ。ケホ、ゴホ……おまえのために！」

「おれのため……？」

ワールドは兄をにらんだ。

「〈麦わら〉が、まだ、くたばっていなかったんだ。それで、おまえにいらぬ手間《てま》はかけさせまいと……」

「ふん」ワールドは唾《つば》を吐《は》いた。「どいつもこいつも、つかえねェやつばかりじゃねェか」

「…………！」

相手が〈海賊女帝《じょてい》〉とはいえ負けたのは事実。ビョージャックには、かえす言葉がない。

「おれがやる」

「ワールド！　すまん」

「いまさら、なにをあやまることがある」

ハンコックを迎撃にむかうワールドの言葉には、足手まといの部下たちへの、あきれの色がうかがえた。

船長《キャプテン》と船員《クルー》。

だが、この船に、たがいの信頼関係はなかった。恐怖による統制《とうせい》さえなかった。

ワールドは、はじめから部下には、なにも期待していなかったのだ。

「昔……わしらが望んだのは、こんなことではなかった……はずじゃ」

「あん?」

ワールドは、妙《みょう》なことを口にしはじめた兄をふりかえった。

「わしらが望んだのは……」

*

ずっとずっと昔のこと。

幼い兄弟は、故郷《こきょう》の浜辺で、いつも海を見ていた。

「見ろよ、ワールド! この海は、おれたちが見たことのない島と……世界とつながっているんだ! すげェと思わねェか?」

ビョージャックは九歳。四つ歳《とし》のはなれた弟より、まだ背も大きかった。

「そうだな! いつか、きっとふたりで……!」

「ケホ……ゴホッ!」

やせっぽちのビョージャックは生まれつき体が弱かった。

「だいじょうぶか、兄貴《あにき》」

「……心配するな。ワールド、おまえは、いつか海に出ろよ。この、どこまでも広がる海のむこうには、きっと想像もつかない冒険が待っているはずだ！」

「兄貴は……行かないのか」

「おれは……病弱《こんな》だから」

だから、たくましい弟に夢を託《たく》したい。

「そんなこというなよ！　なら、おれも行かない！」

「ワールド……おまえは、こんな小さな島でくすぶっていて平気なのか？　おまえは、おれとはちがう。もっと、でっかく生きるんだ」

ビョージャックは、やさしい笑みを浮かべる。

「おれは兄貴と行きたいんだ！」

「え？」

「兄貴は……物知りだ。おれが知らないことを、なんだって知っている。おれは兄貴の話が大好きだ。おれは、この海で、だれよりも強くなる！　だから……兄貴は、だれよりも賢くなればいい！　おれたちの世界一周だ！」

「ワールド……」

「だいじょうぶ！　兄貴は、おれが守る！」

ふたりきりの兄弟じゃないか。


それから十年。

ワールドが十五歳になったとき、バーンディ兄弟は角兜《つのかぶと》をかぶって念願の海に出た。

それは世界一周をなしとげる航海——船出《ふなで》になるはずだった。


嵐によって、彼らを乗せた小舟《こぶね》は沈んだ。流れついた島では、ならず者に襲われた。だが、すでに体格だけは並はずれていたワールドは、敵を叩《たた》き伏《ふ》せた。

ケンカの加減を知らない性格は、このころから変わらなかった。ビョージャックはしばしば、相手を殺すまで殴りつづけようとする弟を、とめなくてはならなかった。

——強いだけでは味方は集まらない。

世界一周をなしとげるためには、強いだけではだめだ。

すぐれた航海士、船医、大工、そして戦闘員。どれが欠けても航海は失敗に終わる。

「おれたちはバーンディ兄弟だ！　よく覚えておけ！」

酒場で大暴れをして、とうとう町をひとつシメてしまったワールド。

彼のもとには、少しずつ人が集まりはじめた。

また、それから十年。

ワールドは二十五歳。船医のナイチン、船大工のガイラム、巨魚人《ウォータン》のセバスチャンら、いまも残る幹部たちは、このころには顔を並べていた。

——船医としてワタシを仲間に！

——あんたの船の修理なら金はいらねェ！

——この日を待ってたんだ！　仲間にしてくれっ！

まっすぐに海を進む〈ワールド海賊団〉の旅は、それを支持する者は多かったが、それ以上に多くの敵を生んだ。

あるとき副船長のビョージャックは、対立する海賊に捕《と》らわれてしまった。

相手は、そのあたりでは最大の勢力を誇《ほこ》る海賊団だった。ワールドは兄を助けるために、幹部たちとともに殴りこみをかけた。

戦闘は一方的に終わった。ワールドたちは数倍の兵力を有する敵を全滅させた。

ビョージャックは助けだされた。

ボロボロに痛めつけられていた兄を見て、ワールドは、なにを思ったのか角兜を脱《ぬ》いだ。

そして、大きく横にはりだした角を片方ボキリと折ると、かぶりなおして、それから兄を抱きあげると角を折ったほうの肩に乗せた。

——おれが兄貴を守る。

ここが世界一、安全な場所だ、と。

子供のようにあつかわれて、ビョージャックは気恥《きは》ずかしさに顔を伏せた。

でも……たぶん、そのときが彼にとって、人生で、もっとも愛につつまれたときだった。幸せなときだった。

いってしまえばビョージャックにとって、そのとき、航海に出た目的の半分以上は、充《み》たされたのだ。

そしてまた十年、さらに十年あまり。

時代は流れて、〈白《しろ》ひげ〉エドワード・ニューゲートや〈金獅子《きんじし》〉のシキ、いずれ海賊王となるゴール・D・ロジャーらが名を馳《は》せ

た時代。

〈ワールド海賊団〉は、すでに札つきとして海軍に追われる、おたずね者だった。

船長のワールドにかけられた懸賞金は二億ベリー。『モアモアの実』を食べたワールドの船は、一隻《せき》が大艦隊《だいかんたい》に匹敵《ひってき》する火力を有し、海軍も海賊も、うかつには手出しできない危険な存在になっていた。

「おれたちの前に立つやつは、だれであろうと蹴《け》散《ち》らしてやる！」

このころになると、ワールドの標的は、権威そのものである世界貴族にまでおよんだ。たちまち、懸賞金は五億ベリーにはねあがった。

世界一周という夢、自由の海の旅という目的はうすれて、日々、ワールドの首をとろうとする賞金稼ぎや海賊、海軍、世界政府に追われつづけることになった。

「——潜水艦？」

ビョージャックの提案に、ワールドは首をかしげた。

「そうじゃ！　必要なとき以外は、水中を進めばムダな戦いをしなくてすむ」

「さすがに人数もふえてきたから、おっきな船が必要ダスなァ」

「武装はどうするんだ？」

幹部たちは、わいわいと語りあった。

「でっけェ砲台がほしいな。特別でっけェやつだ」

ワールドが注文をつけた。

「なぜ、そんなものを？　ムダな戦いをさけるための船に、そんなものは……」

「バロロロ……！　兄貴、逆だよ。でけェ砲台を、これみよがしにおいておけば、おれの『モアモアの実』の能力を知ってるやつは、だれも近づかねェだろ？　結果的にムダな戦いがさけられるじゃねェか」

ワールドの言葉に、幹部たちは同意の声をあげた。

「わかった。かなり資金がいるだろうが……すべて、まかせろ！」

船大工のガイラムが、どんと胸をはった。

「わしらの理想の船……つまり自由の象徴というわけじゃな！」…………

＊

「わしらが望んだのは、自由だったはずじゃ。三十年前、わしらが望んだ理想……！　それが、この船……〈グローセアデ号〉だ！　わしらは……本当に世界を壊滅させるために、この船を造り、おまえを待っていたわけじゃない！」

「兄貴」

声はおさえていたが、ワールドは、もはや肉親でも幹部でもない、ゴミを見るような目をしていた。

「――まだ、そんなことをいっているのか」

「？」

「おまえは、そこで見ていろ。ジャマなんだよ」

最愛の弟……自分を守るといってくれたワールドに見捨てられた。

ビョージャックは点滴スタンドにつかまった。膝《ひざ》がふるえ、立っていることもできなくなった。

「もう、三十年前のようなヘマはしねェ」

「ワールド！　それは誤解だと……！」

ビョージャックたちは、けっしてワールドを見捨てたわけでは、ましてや裏切ったわけではない。

「わかってるよ」

「なに？」

「いいや……そんなことは、もう、どうでもいいんだ」

おまえたちは、もうワールドの人生には関係のない人間だと。

咳《せ》きこむ兄を見捨て。

孤独の衣《ころも》をまとい、ワールドは過去に決別した。


——おれは三十年前とはちがう。もう、仲間を信じちゃいないのさ。

2

ようやく司令塔にたどりついたルフィの前には、広いホールがあり、天井《てんじょう》から吊《つ》るされた鳥カゴの檻《おり》があった。

「ルフィ！」

「ソニア！　マリー！　おまえら、無事か！」

ふたりの帝妹は、意識はあったが逃げる気力がない。海楼石《かいろうせき》で能力を封《ふう》じられているのだ。

「やりたいほうだいだな、ガキが」

司令塔の上階から、ワールドがあらわれた。

手すりをつかんで、円形ホールの周囲に螺旋《らせん》状にかけられたスロープを降りてくる。

「――なぜ、そうまでして首をつっこむ？　死にぞこないが」

「そいつらには世話になった。だから助ける。それに……」

「………？」

「おまえくれェに負けてたんじゃ、仲間は守れねェ！」

叫びかえしたルフィの言葉と、その表情が、ワールドをいらだたせた。

「仲間を守る……？　なんの話だ、兄すら守れなかった、おまえが」

ワールドはルフィの前に立った。

指を三本立てる。

「三十秒だ。カタをつけてやる」

「今度は、負けねェ！」

ルフィは身がまえた。

ワールドが地面を蹴った。

砂埃《すなぼこり》が舞いあがる。艦内にもかかわらず、あたりは、なぜか土の床だった。

「!?」

「〝モアモア十倍散弾〟！」

砂埃を掌底《しょうてい》で打つ。〝武装色《ぶそうしょく》〟の覇気《はき》をおびた砂粒が、黒い散弾となってルフィを襲った。

このホールは、ワールドが有利に戦うためのエリアなのだ。

逃げ場は上しかない。ルフィは〝ギア・セカンド〟で散弾をかわした。

だが――そのときにはもう、十倍速でジャンプをあわせたワールドが、ルフィの間近にいた。

足首をつかまれたルフィは、投げつけられ、床に叩きつけられた。

ワールドは、あらかじめ握《にぎ》っていた小石をルフィに投げつけた。〝武装色〟をおびた小石が銃弾の速度でルフィを直撃する。

「うわァあああっ！」

「ルフィ！」

ソニアとマリーの声があがった。ルフィは床に倒れた。

「とんだ見こみちがい……十秒ですんだな。バロロロ……」

着地したワールドは無造作《むぞうさ》に歩みよる。

だが、ルフィの意識はしっかりとしていた。不意をついて、のばしたゴムの腕でワールドの脚《あし》をつかむ。

「ん……？　なんのまねだ」

「はァ……はァ……十倍速でも、つかまえりゃ……関係ねェ！」

「なるほどな。だが……　〝モアモア三十倍速〟！」

「〝JET銃《ジェット・ピストル》〟！」

　さらに加速したワールドと、ルフィの追撃戦。

　相手の脚をつかんでいるにもかかわらず、ルフィ最速の拳《こぶし》は、かすりもしない。

「どうした！　あたらんぞ！」

　ワールドは、ゴムの腕がからまった右脚を蹴りあげた。

　放すまいとしたルフィは、そのまま空中に舞いあげられた。

　〝武装色〟の拳で殴られて、ルフィは、また地面めがけて打ちつけられた。

　さらに――ルフィが地面に激突する前に、加速して先まわりしたワールドがゴムの体を蹴りあげる。また、ワールドの終わらない攻撃パターンだ。これではダメージを受け流すことができない。

「圧倒的な速度は、すなわち圧倒的なチカラとなることを思い知れェ！」

　スピードは破壊力だ。

　ワールドは、ルフィをハンマー投げのようにグルグルとふりまわした。

――〝五十倍速・激槌《げきつい》〟！


放《ほう》り捨てられたルフィは、五十倍の速度で床に激突した。

土煙が舞いあがる。

「はァ……はァ……こんなもん、効くかァ！」

土煙のなかでルフィは立ちあがった。ワールドの脚は、つかんだままだ。

「んん？」

「ゴムだから！」

投げつけられただけなら、何千倍の衝撃だろうとダメージはなかった。

「フン……そうだったな」

ワールドは全身に覇気をまとい、黒く硬化《こうか》する。

「〝ギア・サード〟」

ルフィは左手の指をガリッと噛《か》んだ。

ゴムの胴体がボンッとふくらみ、みるみるうちにワールドよりも大きくなった。

右腕を巨大化させたルフィは、その手でワールドの脚をひっぱった。

さしものワールドも、これにはバランスを崩す。

つぎに左手を巨大化させると、ルフィはあおむけになったワールドを殴りつけた。

「〝巨人の銃《ギガント・ピストル》〟！」


ビリビリビリッ！


鐘《かね》が割れたような、ものすごい音が響きわたった。

ルフィの巨人の腕を、倒れたままの姿勢のワールドが腕一本でとめていた。

「………！」

「効くかよ、こんなもん」

全身を〝武装色〟で硬化させたワールドに、ゴムの攻撃はつうじない。

脚をつかんだルフィの右手をふりほどき、巨大化した左の拳をはじきかえして、ワールドは小石をつかんだ。

〝散弾〟――ルフィは巨人の腕で、かろうじてガードした。

たがいに距離をとって立ち、わずかの間にらみあう。

「なら……これで、どうだ！」

〝武装色〟硬化からの〝JET銃《ジェット・ピストル》〟──いま、おそらくルフィに撃てる最速の拳だ。

「たとえ覇気をつかえても……」

「〝JET銃乱打《ジェット・ガトリング》〟！」

両手に〝武装色〟をまとったパンチのラッシュ。

伸縮自在、変幻自在の攻撃を、ワールドは加速して、かわしつづける。

「あてられなければ、ただの拳とおなじこと」

「…………！」

『モアモアの実』の能力者は、みずからのスピードを数倍、数十倍にも速めて、あらゆる角度からのゴムゴムパンチを、ガードすらせずかわしきった。

そしてルフィの息がきれたとき、目の前にはワールドの姿があった。

ギィイイイインッ！

生身《なまみ》の拳がぶつかりあっているとは思えない、異様な轟音《ごうおん》。

〝武装色〟の攻撃を〝武装色〟が受けとめる。大振りなワールドのパンチを、ルフィは両腕でガードした。

そのルフィの体ごと、ワールドは拳をふり抜いた。

壁に激突したルフィは覇気のダメージで昏倒《こんとう》した。

「仲間？　兄貴……？　そのありさまで、なにが守れる……？」

3

艦内の通路を走りつづけると、一味の前に、ようやく外の光が見えた。

「キャプテン・バギー！　ここは……」

「おお！　やったぜ！　ついに外に出られた！」

バギーの一味だ。

機関室でガイラムと戦ったあと、彼らは〈グローセアデ号〉の甲板《かんぱん》にもどっていた。

「――これで、この陰気臭《いんきくさ》い船とも、おさらばってわけよ」

「本音が漏《も》れとるガネ」

Mr《ミスター》．3《スリー》に小声で指摘《してき》されて、バギーはあわてて口をふさいだ。

「そうだった……なんということだ！　せっかくワールドの首をとろうとしていたのに、いいいいいいいいい、どうやら道をまちがえてしまった！　どうしよう！」

迫真の演技で頭をかかえてみせる。本心では、バギーは、もうトンズラするつもりだった。

「キャプテン・バギー！　そんなことより、あれ！」

手下が指さした先には――


カモメの旗が、風にはためく。

海軍本部の艦隊だ。

「か……海軍！　なんで海軍が、こんなところに！」

「おまえが呼べと命令したんだガネ」

Mr．3は、あきれてものがいえない。

「そ……そうだった」バギーは自分の立場を思いだした。「お〜い、ここだァ！　バーンディ・ワールドと絶賛対戦中の、新七武《しちぶ》海《かい》・バギー様は、ここにいるぞォ！」


海軍艦隊の旗艦。

「なにやら、敵艦の甲板から手をふっている者がいますが……」

見張りの海兵が、双眼鏡を手に報告した。

「かまわん」指《し》揮《き》をとっているのは〈赤犬《あかイヌ》〉サカズキだった。「全艦砲撃開始！」


ドドドドドドドドンッ！


艦隊の一斉射撃《いっせいしゃげき》が〈グローセアデ号〉を狙《ねら》った。

甲板にいたバギーと一味は、あっけにとられた。

「えェ〜〜〜〜〜〜〜〜〜〜〜〜〜〜〜〜〜〜〜〜〜〜〜〜〜〜〜!?」

＊

振動と爆発音に気がついて、ワールドは司令塔の天井を見あげた。

「なにごとだ……？」

「コホ！　ケホッ、コホ……たいへんじゃ、ワールド！　海軍の艦隊が！」

司令塔の上階から、ビョージャックが降りてきて、叫んだ。

そのとき、強力な攻撃が司令塔を直撃した。


ガガガガガンッ！


紅蓮《ぐれん》の炎が、巨大な〈グローセアデ号〉に悲鳴《ひめい》をあげさせた。

ホールに吊られていた鳥カゴの檻が、グラグラとゆれたあと、天井ごと崩落して床に激突する。

さっきまでビョージャックがいた上の階が、消し飛んでいた。

ただの攻撃ではなかった。司令塔の上層が高熱で溶けていた。ホールの天井の穴から、マグマの塊がボタボタと床に落ちてくる。

＊

「おい！　海軍のやつら、このままあの船、沈めるつもりなんじゃないのか？」

日傘をさしたゴースト娘のペローナは、小舟《こぶね》で寝そべってふんぞりかえっている〈鷹《たか》の目《め》〉のミホークを見た。

「…………」

事態を見守りながら、ミホークはなにかを察して、ゆっくりと立ちあがった。

4

バーンディ・ワールドは、高熱の火山弾によって溶かされたホールの天井を仰《あお》ぐと、大いに笑った。

「バロロロ……！　こりゃァ、いい！」

海軍のほうから出むいてくるとは。しかも、この能力はおそらく自然系《ロギア》――ここに〈世界の破壊者〉がいると知っているなら、将官クラスが来ているはずだ。三十年前のセンゴクやガープのような。

「――ビョージャック！　巨大砲をぶちかますぞ！　海軍どもを蹴散らすんだ」

「待て……！　こんな至近距離で撃てば、衝撃で、こっちの船もただではすまない！」

マグマに追われてきたビョージャックは、反対した。

「かまわん」

「………！」

「おれの腹は、インペルダウンを脱出したときから決まっていた」

脱出不可能といわれた海底監獄《かんごく》から逃げのびたワールドにとって、残り少ない人生で、やるべきことはひとつだった。

復讐《ふくしゅう》。

あまりの危険さから、レベル6《シックス》で冷凍状態にされていたワールドにとって、三十年前は、つい昨日のことのようだった。

「――おれは、ひとりで海軍本部とマリージョアを叩きつぶすつもりだった。そこへ、おまえたちがやってきた……この船とともにな。だから、おれはこの船を、おれの目的のためにつかう。それだけのことだ」

「目的とは……世界政府への復讐か」

「そうだ。この船がどうなろうと……おまえらがどうなろうと、関係ねェんだよ」

「………！　ガイラムも、ナイチンも、セバスチャンも……！　みんな仲間じゃなかったのか！」

「おれは、もう連中も兄貴も信じちゃいねェ」

〈世界の破壊者〉は、立ちはだかるもの、すべてを滅ぼすのだ。

「ウソじゃ……！　ワールド！　おまえは、そんなやつでは……！」

兜の角を折り、その肩に乗せて守るといってくれたのは。

病弱な少年に、海と世界を見せてくれたのは。

たくましい、ビョージャックの自慢の弟だったのに……！

すれちがった時の流れは、人をゆがめてしまう。

「ビョージャック……おまえたちは、この船とおなじだ。おれの道具だ。おれの命令が遂《すい》行《こう》できねェんなら」

すべてを破壊する者となったワールドは、足もとのガレキをつかんだ。

「ワールド……！」

「いらねェんだよ！」

覇気をまとった〝散弾〟が、涙を浮かべる兄にむけられた。

ザッ！

割ってはいったのは、ルフィだった。

〝武装色〟で硬化した両腕で〝散弾〟をはじくと、破壊者ワールドをにらみかえす。

「仲間が……道具だと？」

「……貴様《きさま》」

とうに、倒したはずだ。

一度ならず二度、三度までも立ちあがってきた少年を前に、ワールドは、さすがに驚きを隠《かく》せない。

「ふざけるなァ！」

ルフィの黒い拳が、ワールドの側頭部をとらえた。

片折れの角兜が、はずれて飛ばされる。ワールドは〝倍速〟でさけることができず、背中から床に倒れた。

「ルフィ！」

そこに、大蛇《だいじゃ》のサロメをともなってハンコックがあらわれた。

「ハンコック！　妹たちを！」

壊れた檻から出られずにいるサンダーソニアとマリーゴールドをつれて、ここから逃げるように告げる。

「ルフィ……」

「おれは、こいつを、ぶっ倒す」

倒さねばならない相手だと、ルフィは感じた。

ハンコックの妹たちをさらったから、という理由だけではない。

認めてはならない。

ここで、くじかれてはならない。この敵を――壁を前にして、試されているのはルフィの覚悟だった。


――生きて、もどってこい。


レイリーの言葉に、真に応《こた》えるためには、ここから逃げのびるのではない。

ただ勝つのでもない。

敵と、おのれに克《か》たねばならない。

チカラ。

それは身をもってしめす信念をやどしてこそ……！


ハンコックは覇気の一撃で檻を破ると、妹たちを救出した。

「ルフィ……船で待っておる」

なにがあろうと、待っている。ハンコックは愛《いと》しい男に告げた。

ルフィの覚悟を察したからだ。彼女は加勢などしなかった。〈海賊女帝〉は、愛するがゆえに男のプライドを立てた。

やりとりを聞いていたワールドは、深くため息をついた。

「もう七武海の囮《おとり》も必要ねェ。そんなに死にたければ、望みどおり相手をしてやるよ……〈麦わら〉のルフィ！」

殺気をぶつけてくる。

ルフィは、いったん、かまえをといた。

深呼吸。

何度でも立ちどまって、息を吸って、また前に進めばいい。

「神に祈っても、おれには勝てんぞ」

「おれは負けねェ」

「…………！　なんの自信だ！」

〝十倍速〟――

ワールドの〝武装色〟のパンチを、ルフィは、

「――かわした？　ッ！」

見切られたと驚いた直後、加速中のワールドは頬《ほお》を殴られた。

グラリ、と巨体がゆらぐ。〝武装色〟のパンチをカウンターでくらったのだ。

「おれは勝つ」

仲間を道具だという男に、屈《くっ》するわけにはいかない。

戦いは加速する。

決着のときを、たぐりよせる。

「七十倍速……〝烈合掌《れつがっしょう》〟」

ワールドは〝倍速〟をあげた。

にもかかわらず、ルフィの攻撃はワールドを追いこんで一撃をくわえつづけた。

逆にワールドの攻撃は、かわされ、しっかりと受けられる。

攻守は転じる。

「ぬゥ！」

ガツンッ！

ワールドの拳を、ルフィは硬化した額《ひたい》で受けとめた。

ビギッ、と鈍《にぶ》い音がした。額は、頭でいちばん頑丈なところだ。まともに殴れば拳のほうがいかれてしまう。

「なにをムキになっている……！　おれの、なにが気に入らない！　つかえねェやつは処分するだけだ。おまえも……〈麦わら〉よ、兄貴を見殺しにしたのだろう！」

海軍に捕《つか》まった、弱っちい役立たずを見殺しにした。

「………！　ぐっ！」

動揺《どうよう》したルフィの隙《すき》を見逃さず、ワールドの黒い拳が敵を殴り倒した。

「てこずらせやがって……！　なんどでもいってやるぞ。おまえには、兄貴も、仲間も、だれも守れねェ！」

「そうだ……」

ルフィは過去にむきあった。

「おれはエースを助けられなかった……けれど！　おれには、まだ待ってくれている仲間がいる！」

「…………？」

「まだいうか！」

〝武装色〟をまとった、ふたりは戦う。

殴り、殴られ。

だが、いつしかふたりの攻防は互《ご》角《かく》になっていた。

ワールドは『モアモアの実』の〝倍速〟をつかっている。なのに、それなのにルフィは相手の攻撃をかわし、逆に攻撃を打ちこんだ。

「仲間を守る……！」

「！」

海賊王とは、世界でいちばん自由な男だ。

自由の意味を知る男だ。なにものにも屈することなく、大切なものを守れる男だ。

だからルフィは、ワールドに負けるわけにはいかなかった。

「海賊王になるんだ！」

「ッ！」

ついに、ルフィ渾身《こんしん》の一撃がワールドをとらえた。

ワールドの巨体が床に激突し、〝武装色〟の覇気が解《と》けた。

「おれは、おまえをぶっ飛ばす！」

「こいつ……戦いのあいだに、強く……!?」

ワールドは起きあがろうとする。

だが、その体にはダメージが残っていた。

この三十年間、冷凍状態だった彼が感じたことがなかったもの——痛み。


「〝ゴムゴムのJET銃乱打《ジェット・ガトリング》〟！」

「〝モアモア百倍速・覇王拳《はおうけん》〟！」


〝武装色〟の〝JET銃乱打《ジェット・ガトリング》〟に対して、ふたたび覇気をまとったワールドは、百倍——

彼の最速で迎え撃った。

目にもとまらぬルフィのラッシュをさばきながら、超速度でもって反撃に転じる。

ルフィは、

「ゴムゴムのォ……」

目には見えぬはずの〝百倍速〟を、視《み》る。

まぶたを閉じて。

とらえた敵めがけてつっこんだルフィは、ゴムの腕を超高速でうしろにのばした。

発火。

ルフィの腕にふれた空気は、火をまとう。まるで兄エースの『メラメラの実』の能力のように。

失敗したことのない人間などいない。

いたとすれば、それは挑戦したことのない人間だ。

驚くワールドの瞳《ひとみ》に火が映ったとき、ルフィの火の拳は、すべてを貫いた。

「〝ゴムゴムの火拳銃《レッドホーク》〟」


その拳は亡《な》き兄エースへの手向《たむ》けであり、愛であり、決別でもあり、覚悟。

そして海賊王への航路を照らす火だった。

ルフィの。

〈麦わらの一味〉の仲間たちとの、未来を。

まちがいなくいえることは、火をまとったルフィの拳には信念がこめられていたこと。

〝武装色〟のガードを貫かれて、致命的なダメージを受けたワールドは、めりこむほど壁に激突して、生涯《しょうがい》、叫んだことのなかった悲鳴をあげた。


ズゥン………！


砲撃が艦内をゆらす。

潜水戦艦〈グローセアデ号〉は、海軍艦隊の的《まと》となって、なされるがままに沈みつつあった。

火をおびた〝武装色〟の腕を見つめながら、ルフィは、いま自分がなすべきことを感じた。

決着は、ついた。

そして約束した。

「レイリーと……ハンコックに、約束したんだ」

こんなところで死んでたまるか。

壁にめりこんで動かなくなったワールドと、駆けよる病人の兄を一瞥《いちべつ》すると、ルフィは、彼がもどるべき船にむかって走りだした。

5

海軍艦隊の集中砲火で炎上する〈グローセアデ号〉から、泳いで逃げる一味の姿があった。

「ク～～～！　海軍のやつら、おれがいることを知っていたくせに！」

空を飛んでいるのはバギーだ。背にはＭｒ．３を乗せている。

「とにかく、遠くに逃げるガネ！」

「おまえら！　しっかり泳ぎやがれ！　とくに、そこのおまえ！　その、おれの足、絶対、海につけるなァ！」

バギーは手下のひとりに声を飛ばした。その手下は、頭上《ずじょう》にバラバラになったバギーの足を載せて泳いでいた。

バギーの『バラバラの実』の能力は、操作空域のなかであれば飛ぶことができるが、足だけは、つねに地面や床についていなくてはならない。足が海についてしまえば、悪魔の実の能力は奪われて、バギーは海でおぼれてしまうだろう。

「これは戦略的撤退《てったい》だ！　逃げるぞ、野郎《やろう》ども！」

あとで海軍とマグマ人間には、たっぷりと詫《わ》びを入れさせてやる。

叫んだバギーに、手下どもは「オォ！」と声をかえして、がむしゃらに海を泳いだ。

*

ルフィに敗れたワールドは、もうろうとしていた。

息は荒く。

弟を見つめるビョージャックだったが、もう手のほどこしようがなかった。

希望の船は。

〈グローセアデ号〉は海軍の集中砲撃によって撃沈寸前だった。

司令塔は砲撃の的になった。ついに火山弾が船体外殻《がいかく》に大穴を穿《うが》つ。敵艦隊の数をたしかめて、ビョージャックは観念した。

海に出たのは十九のとき。

ここが彼の、自由を求める旅の終わりだと……。

「………！」

ビョージャックは驚いて、ふりかえる。

ワールドが立ちあがっていた。

満身創痍《まんしんそうい》の〈世界の破壊者〉は、フラフラとした足どりで、どこかに歩いていく。

「どうするつもりじゃ！」

「おれは負けていない」

まだ負けは認めない。ワールドはうなった。

「仲間たちは敗れ、船はボロボロ……おまえもボロボロだ！　これ以上、なにを！」

「一発だ」ワールドは兄をふりかえった。「せめて海軍のやつらに叩きこんでやらねェと、おれの気がおさまらねェんだよ」

「巨大砲をつかうのか……！」

「はじめから、そのつもりだ。兄貴……おれはおまえらをだましていた。だが三十年前、おまえらも一度おれを裏切った」

　おあいこだ。

　ワールドは兄に対して、素直な自分の気持ちを打ちあけはじめた。

「おまえ、やはり三十年前のことを……だが、だから、あれは！」

「インペルダウンで氷漬けにされていたおれにとっては……昨日のことのようだ。忘れるわけがない。忘れられるわけはねェ」

「それは誤解だと……！」

　そのことは説明した。

　だが、たとえ説明したところで、事実がどうであれ、それが誤解であれ。

　いったん信じられなくなった相手の言葉を、もう一度信じることは、とても怖いことだ。

　それが兄弟であっても。いいや肉親であるからこそ、血の絆《きずな》は生涯、切っても切れないからこそ。

ゝゝゝゝゝまた裏切られるのは怖い。

ワールドの凍《こお》った三十年間は、長すぎた。たがいの心を解きほぐすには時間が足らなかった。

〈世界の破壊者〉は、最期《さいご》は自身と、あらゆる縁さえ破壊しなくては、気がすまなかったのか……！

6

ワールドの潜水戦艦に起きた異変は、海軍艦隊からも目視されていた。

「船首《せんしゅ》に巨大砲、出現！」

「まだ、あんなもんを残しとったか……！」

〈赤犬〉サカズキは巨大砲への集中砲火を命じると、みずからも『マグマグの実』の火山弾で攻撃をつづけた。

ワールドは〈グローセアデ号〉の甲板にあがった。

砲身《ほうしん》を直接、操作する。すでに砲身のカバーは開放されて、潜水戦艦の全長のなかば以上をしめる巨大砲が出現していた。

猛砲撃を浴びながら、ワールドは〈グローセアデ号〉を敵艦隊にむけて、玉砕《ぎょくさい》を選んだ。

「〈世界の破壊者〉を、なめるなよ……！」

ワールドは海軍をにらむ。

センゴクは元帥《げんすい》を辞《や》めるらしいが、新しい海軍のボスは、だれだったか。ワールドは、聞こえるはずもないが呼びかけた。敵の指揮官に、おまえはだれだ、と。三十年前、おれが捕まったとき、おまえはどこにいた。まだ卵の殻《から》がとれていないヒヨコだったのだろう、どうせ。

新米《ルーキー》どもに。

いいように、やられっぱなしではいられなかった。

あの、なつかしい海に懸《か》けて。バーンディ・ワールドが名を馳せた三十年前の海に懸けて。

そのとき、巨大砲の砲架《ほうか》に火山弾が直撃した。

巨大砲は支えを失う。

ワールドは、煮《に》えたぎるマグマの飛び散るなかに駆けつけると、両腕で巨大砲を支えた。

そのまま腕のチカラだけで仰角《ぎょうかく》をとり、海軍艦隊を狙う。

「〝モアモア百倍砲〟!」

砲身にふれたまま、ワールドは巨大砲を発射した。

速度は百倍。

撃ち出された砲弾の質量は、百倍の百倍の百倍。

あわせて百億倍のエネルギー――隕石《いんせき》落下に匹敵する破壊力をやどした砲弾は、見わたすかぎりにあるものを衝撃と波で破壊するだろう。

「道をあけろ……! おれがバーンディ・ワールドだァ〜〜〜〜!」

＊

〈ゴーストプリンセス〉が巨大砲の発射の衝撃に気づいたとき、小舟に〈鷹の目〉のミホークの姿は、すでになかった。

海軍艦隊めがけて撃ちだされた砲弾は、巨大化してスピードを増した。目でとらえることはできない〝モアモア百倍砲〟を、ミホークは、予見していた。

斬《ざん》ッ！

巨大砲弾が、空中で爆発した。

衝撃とともに、砲弾の破片《はへん》が軍艦を貫いていく。

帆《ほ》はちぎれ飛び、帆柱《マスト》が折れる。それでも巨大砲の破壊力は、いちじるしく減衰《げんすい》された。

爆発の衝撃波がさったあと、海軍艦隊は——健在だった。

海は荒れる。

〈グローセアデ号〉に立ったワールドは、なにが起きたのか、わからなかった。

彼の船の舳先《へさき》に、見知らぬ男が立っていた。

〈鷹の目〉のミホーク——王下七武海のことをワールドは知らない。

あの男が〝飛ぶ斬撃〟によって〝モアモア百倍砲〟の砲弾を斬り、空中で破壊し、被害を最小限におさえた。

衝撃が起こした波が、艦を大きく傾《かし》がせた。

砲架を失った巨大砲は、壊れながら海にころがりおちる。

ワールドのチカラとともに。

くじかれた復讐の心は、ひとりでは、もう立てなおすことはできなかった。

〈世界の破壊者〉は〈グローセアデ号〉の甲板に倒れ伏した。


船は沈む。


どんな巨大な海賊船であっても、船長の心が折れたとき、それは沈む。

「この船は沈む」ビョージャックは動かぬ弟に語りかけた。「わしらの負けじゃ……だが、また、ふたりで旅立てばいい。行こう、ワールド……海のむこうの世界へ……！」

爆発は、光の柱となる。

あたりのすべてを渦《うず》に呑《の》みこみながら、〈グローセアデ号〉は轟沈《ごうちん》した。

＊

九蛇《クジャ》の海賊船もまた、波にもまれて身動きがとれずにいた。

甲板で戦況を見守っていたハンコック、救出されたサンダーソニアとマリーゴールド、ニョン婆《ばあ》と戦士たちは息を呑んだ。

「ルフィ……！」

沈みゆく〈グローセアデ号〉にもどりそうになったハンコックを、妹たちが、あわててとめる。

「姉様《あねさま》！」

「放せ、ルフィが！」

ひときわ巨大な爆発が起きた。

潜水戦艦の動力部が破壊されて、燃料に引火したのか。

炎の柱が噴き、黒い煙が、数百メートルの高さまで一気に立ちあがった。

爆風が九蛇の船に押しよせ、視界をふさぐ。

ルフィは、いない。

気が遠くなり、ハンコックはよろめいた。

そのとき、

「…………！　あれは」

ニョン婆が、はるか上空、煙のなかからあらわれた人影《ひとかげ》に気がついた。

「ルフィ！」

九蛇の蛇姫《へびひめ》は、ぱっと表情を明るくする。

モンキー・D・ルフィは。

約束を守るために。

大切なものを守るために。また、あの麦わら帽子をかぶる日まで。海賊旗を掲《かか》げる、その日まで。

この二年間を生きるだろう。

ギュルンとのびたゴムの腕が、九蛇の船をつかむ。

帰ってきたルフィをハンコックが迎え、思わず、抱きしめた。

EPILOGUE

エピローグ

――〈世界の破壊者〉バーンディ・ワールドを撃破！

お手柄《てがら》！　新七武海《しちぶかい》のバギー！


新聞は、次期元帥《げんすい》〈赤犬《あかイヌ》〉率いる海軍艦隊の出動と、かつての大物海賊の撃破をつたえた。

バーンディ・ワールドについては、三十年前の『ワールド殲滅《せんめつ》作戦』自体が隠《かく》された事実なら、インペルダウンのレベル6《シックス》の存在も極秘だった。

そんな事情もあり、ワールドの経歴についてはは大半が伏《ふ》せられたまま、もっぱら弱体化が懸念《けねん》された海軍の健在をしめすため、新七武海であるバギーの箔《はく》づけのための報道がなされた。

〈千両道化《せんりょうどうけ》〉のバギー。

それが彼の、あらたな二つ名となった。

＊

そして、月日は流れ……。

ルスカイナ島。

猛獣《もうじゅう》の島で、たったふたりしかいない人間が焚《た》き火を囲《かこ》っていた。

「――ルフィ。キミには覇気《はき》の基本をひととおり学んでもらった。わたしには、もう教えられることは、なにもない」

約一年半の修業を終えたとき、シルバーズ・レイリーは彼の弟子《でし》に告げた。

「レイリー……」

「わたしはシャボンディ諸島にもどるが、キミはどうする」

「おれは」修業と、いまの自分をふりかえり、ルフィは答えた。「あのときメッセージを残した」

~~3D~~2Y

三日後ではなく二年後に、約束のシャボンディ諸島で。

オックス・ベル十六点鐘《てんしょう》事件のとき腕に刻《きざ》んだ文字だ。仲間だけにわかる暗号《やくそく》を、ルフィは新聞を利用して全世界に知らせた。

「…………」

「おれたちは先に進むために、もっとチカラをつけなきゃいけなかった。あいつらなら、きっとわかってくれる」

そして彼らも、この二年間をムダにはしないはずだ。

「二年後……あと半年か」

「ああ。あいつらが、二年でどんなになっているか、すっげェ楽しみだし、おれは、もっと強くなっていなけりゃならない」

あと半年、このルスカイナ島で修業をする。

「ならば、覇気に磨《みが》きをかけることだ」

「わかった」

少しだけ大人びた横顔を、炎に浮かべて。

「また会う日を、楽しみにしている」…………


ルスカイナの月を仰《あお》いで。ルフィの残り半年間の修業はつづく。

たったひとりの。

でも、仲間たちといっしょの。

もういちど、あの麦わら帽子をかぶるために。

〈おわり〉

半年後――
シャボンディ諸島で再会した
〈麦わらの一味〉。

そして〈新世界〉へ……！

尾田栄一郎 ODA EIICHIRO

1975年生まれ。熊本県出身。
週刊少年ジャンプ'97年34号より
『ONE PIECE』を連載開始。
スケールの大きな海洋冒険物語で
圧倒的支持を受ける!!

浜崎達也 HAMAZAKI TATSUYA

1973年生まれ。茨城県出身。
小説家・脚本家・漫画原作者として
様々な企画に参加。JUMP j BOOKSで
『ONE PIECE』シリーズなどを執筆。

初出
ONE PIECE “3D2Y„ エースの死を越えて！ ルフィ仲間との誓い
書き下ろし

この作品は、2014年8月放送TVアニメーション
［ONE PIECE “3D2Y„ エースの死を越えて！ ルフィ仲間との誓い］
（脚本：上坂浩彦　中山智博　田中仁）をノベライズしたものです。

ONE PIECE “3D2Y„
エースの死を越えて！ ルフィ仲間との誓い

2014年10月8日　第1刷発行
2019年7月29日　第2刷発行

著　者　尾田栄一郎 ◎ 浜崎達也

編　集　株式会社　集英社インターナショナル
〒101-8050　東京都千代田区一ツ橋2-5-10
03-5211-2632（代）

装　丁　高橋健二（テラエンジン）

編集協力　添田洋平

発行者　鈴木晴彦

発行所　株式会社　集英社
〒101-8050　東京都千代田区一ツ橋2-5-10
編集部 03-3230-6297　読者係 03-3230-6080
販売部 03-3230-6393（書店専用）

印刷所　図書印刷株式会社

Printed in Japan

ISBN978-4-08-703331-1 C0093

検印廃止

JUMP j BOOKS
http://j-books.shueisha.co.jp/